U0877634

只有一根柱子

人生360度
一分钟经典故事

康桥／编著
潘方尔／绘

上海辞书出版社

目录

1. 道德震撼心灵

2. 法律高于一切

3. 责任重于泰山

4. 自信引发力量

5. 成功证明一切

6. 幸福就是感觉

1.

道德震撼心灵

☞ 道德是最基本的法律。康德曾有这样一句名言：“世界上有两件东西能够深深震撼我们的心灵，一个是我们头顶上灿烂的星空，另一个是我们心中崇高的道德准则。”

☞ 假如人死后能投生，且只能投生狐狸或狮子，你会作怎样的选择呢？如果投生做人，你选择做君子还是小人？

☞ 如果把人生比作一个杠杆，那么，信念则是它的支点，具备这个支点，才可能成为一个强而有力的人。

☞ 纵观整个封建社会，中国的政治气候总是不太正常，知识分子往往只能躲在诗中、酒中、女人中。换句话说，他们只能追求声色犬马。我们应该看到，在他们那快乐外表下所掩盖着的其实是一个个多么痛苦的灵魂。

故事 1

加拿大的道德测试题

有朋友相告，加拿大最大的一家电器零售商正在招兵买马，我径自找上门去。

不过，大公司有大公司的规矩，要进入这家公司必需先通过一个职业道德测试。

我拿起笔来，一挥而就。

谁知第二天，便被告知：没有通过测试。

怎么可能呢？我急急找到一位老移民咨询，不问则已，一问才感叹加拿大人和中国人，文化竟然天差地别。

在这次测试中，第一道题是这样的：你

在以往若干年的工作中，有没有未经许可拿过公司的东西回家？A. 从没有；B. 价值不超过 5 元；C. 价值不超过 20 元；D. 价值不超过 100 元。

在单位工作，怎么可能从没拿过公司的东西回家呢？所以选项 A 肯定是陷阱，选了才表示这人不老实，因此我选 B，毫不犹豫。

第二题：你的一名同事拿了公司的一元钱而没有申报，你认为老板以下做法是否合适？A. 批评；B. 阻止其提升或给予其降职；C. 开除；D. 报警，起诉该员工。

按我自己的想法，选择 A 和 B 还属可理解，选择 C 就已经过分了，D 是不考虑的。但我知道加拿大人可能更看重这样的事情，于是昧着良心选了 C。

第三题：你在商店买了东西回家，一看营业员少收了你一元钱，你会开车回去还给他吗？（开车的费用超过一元）。我当时认为这也是个陷阱，真有人会干这样的事情吗？那不是中国人说的被钱撑糊涂了吗？于是选不会，当时还被自己的真诚很是感动了一番。

结果大家都知道了：第一题绝对不能选拿过；第二题应该是起诉（在加拿大，即使是拿公司的文件回家去加班，也必须事先经过主管的同意，否则性质就很严重，属于偷窃，公司就完全应该起诉，更何况是一元钱的现金了）；第三题应该是还回去。

酷评

提升自己的道德标准

道德标准，是与一个时代的文明水平息息相关的。不同的时代，有不同的道德标准。比如，现在如果谁把老年人或者孩子煮了吃，非但道德不容，连法律也不会放过他，社会上还会把他说成是变态杀人狂。可是，在远古时代，谁都不会见怪。说到底，道德标准取决于一个社会的文明水平。

然而，在同一个社会的人群里，道德水平还是有高低之分的。有正人君子，也有卑鄙小人。有为崇高理想献身的英雄，也有为

道德
權利

人不耻的罪犯。

我们目前面临的时代，有时，做一个好人难。比如，法律是一个人和一个社会最低也最起码的道德标准，但守法成本高，执法成本高，而违法成本却很低。在这样的时代里，我们如果放纵自己，那么，社会的道德标准就会不断下降。“外国有个加拿大，中国有个大家拿。”在这种情况下，提升自己的道德标准，就变得更加重要。虽然不可能人人从我做起，从现在做起，但我们可以相信，只要人人心中有道德这杆秤，社会风气就会一点一点好转。

当然，我们也要提升别人的道德标准，但这不是一蹴而就的事情。具体方法是：严于律己，宽以待人，不要以为别人也有像我们一样的觉悟。

故事2

君子与小人

禅师甲问禅师乙:“君子小有过失就被人责难，而小人终日为恶，人们为何不以为然?”

禅师乙说:“君子之德，就好比一块美玉，里面稍微有一点小瑕疵，外面就看得见，所以大家都会感到奇怪；但如果是小人的话，每天都在作恶，又有什么好指责的呢?”

酷评

君子，很累很难

做君子很累很难，社会公众对君子要求

很严格；而做一个小人太简单了，不用承受社会压力，因为小人不会被社会和公众苛求。中国关于君子与小人的成语很多，例如“谦谦君子”“君子之交淡若水，小人之交甘若醴；君子淡以亲，小人甘以绝”“君子坦荡荡，小人长戚戚”“君子有成人之美”“君子动口不动手”……可见，我们对君子的要求有多高了。君子身上的束缚太多了，人们对他的预期值过高，对他的设想太完美，所以不能容忍一点点小瑕疵。

除此之外，君子对自己的要求也很高。他们对自己的要求严格而全面，这样就不会懈怠；对别人的要求宽容而平易，别人就乐意同他交好。

做人难，做君子更是难上加难！

《伊索寓言》里也有类似的一个故事，说的是狐狸讥笑母狮每胎只生一子。母狮回答说：“然而是狮子。”意思是，你狐狸每胎生得再多，还是狐狸。

假如人死后能投生，且只能投生狐狸或狮子，你会作怎样的选择呢？如果投生做人，你选择做君子还是小人？

故事3

见习雷神

从前有个姓董的人，他睡午觉的时候梦见几个模样丑陋的鬼靠近床边。他们悄悄议论说:“这个男人的嘴巴长得很尖，正好可以顶替生病的雷神。”说完，就将一把斧子塞进他的衣袖，带着他来到了一座豪华的宫殿。

大殿上坐着一位仪态庄严的贵人，一看他那浑身上下的着装打扮，就知道是个显赫的大官。贵人对他说:“某地有个媳妇对婆婆不孝，经常侮辱和打骂她，天神决定派雷公去惩罚她。但是雷公现在生病了，不能前去执行任务。我的手下一致推举你代替雷公，你就带着神符马上启程吧。”

董某接过神符，刚一走出宫殿，就觉得全身轻飘飘的，原来脚下已升起团团乌云，所经之处电光闪闪，他自己竟变成了真正的雷公。他按照那贵人的指示，一会儿就飞到了那个村子的上空，土地神早已等候多时，马上带他前往那户人家。

还在半空中时，董某就远远看见那个恶媳妇正在殴打她的婆婆，引来许多村民围观。董某走到那媳妇身边，不由分说，取出斧子朝她击去，顿时发出一声惊人的巨响，媳妇应声倒地毙命。围观的村民吓得目瞪口呆，纷纷跪倒在地。

董某办完公差后回去禀报，贵人很想挽留他，打算封他个一官半职，可他谢绝了。贵人又问他想要些什么，他说别无他求，只希望能上学读书。

贵人说：“那好办，明年你就能上学。”

正在这时，他从梦中惊醒了，回忆起刚

才的事情，感到十分奇怪。于是，他亲自前往那个村子探访，打听之下这才得知，村中果然有一名妇女被雷劈死，时间恰好就是他做梦的时候。

第二年，他果然实现了愿望，得以进入学堂读书。

酷评

世人需要道德教化

中国的传统道德教化有自己固有的模式。我们的先人发明了“讲故事”的方法，这既有利于从娃娃抓起，从小就让中华传统美德在下一代心里植根，潜移默化地培养出适应社会需要的人，又能将讲道理和摆事实结合在一起，增加可信度，让最底层的平头百姓都能发自内心地接受教化。

当然，这些故事里多少都会有因果报应的思想，善良的人最后总是能得到神的嘉奖，而作恶的人常常不得好死。可惜的是，现实生活中我们会发现这并不是一条公理，例外

一直都存在，而且数量还不小。其实，“因果轮回”正是世人在积怨难平，却又无可奈何的情况下制造出的一种心理慰藉，借此寻求虚幻的满足。

传说毕竟虚构多于真实。我们读神话故事的最主要目的，还是应该寻求其中所蕴含的真善美的哲理。

故事 4

刘伶醉酒

《世说新语 · 任诞第二十三》有这样一个故事：东晋刘伶才高八斗，学富五车。同时他也是出了名的嗜酒如命，每当他口渴得厉害时，就向夫人要酒喝。

他的夫人把酒倒掉，把酒具毁坏，流着眼泪规劝他说："你喝得太过分了。这样喝酒不是养生之道啊。你一定要戒掉它！"

刘伶说道："夫人说得很对，但我自己管不住我自己，只有向鬼神发誓才能戒掉。你就给我准备些酒肉祭品吧。"

夫人听了，很为他的决定感到高兴，于是很快就把酒肉祭品供奉在神灵前，请刘伶发誓戒酒。

刘伶果然跪下，却祷告说：“苍天让刘伶降生，就是为了喝酒的。喝一壶酒，就要用五壶酒来醒酒。妇人说的话，千万不能相信。”说完，他马上饮酒吃肉，不一会儿又烂醉如泥了。

后来有一次，刘伶喝醉了酒，脱光了衣服，赤裸着身体在屋里吟诗做赋。这时正好有个朋友前来拜访他，看见刘伶赤身裸体在那里，就讥笑他说：“你怎么光着身子在屋里呢？你难道连遮蔽身体的衣服也没有吗？”

刘伶醉眼蒙眬，笑着说：“谁说我光着身子？我以天地为房屋，以房屋为衣裤。这房屋就是我的衣裤！你进了我的房屋，就是钻到我的裤子里了。我倒要来问问你，为什么要到我的裤裆里来呢？”

无奈中的放荡与约束

“天生刘伶，以酒为名。一饮一斛，五斗解酲。妇人之言，慎不可听。”这明明是他的借口之辞，却成了古往今来文人们津津乐道的名言佳句。

刘伶对酒的痴迷似乎真的是到了欲生欲死的境界。据说他最喜欢坐在白鹿驾的车里，让一个仆人身背铁铲在后面跟着，自己则一口接一口不停地喝着酒，还嘱咐仆人说：“死便埋我！”

宋朝诗人叶梦曾经认真地解读过刘伶：“晋人多言饮酒，至于沉醉，未必真在乎酒。盖时方艰难唯托于酒，以为保身之计，饮者未必剧饮，醉者未必真醉耳！”所以，刘伶并不是不想约束自己，只是在那样一个政治气氛极其恐怖的年代，邪恶如罐头般将整个社会封闭起来，所有的人都昏昏沉沉，而少数几个觉醒的人就只能以怪诞的面目来对抗邪恶。

当年竹林有七贤
没事经常
去聊天
天南海北麻辣烫
说来说去尽说玄
旁人路过听不懂
感觉他们是
吃着
野菜喝山泉
喝酒端起一坛干肆
意酣畅
唱歌痴痴癫癫
写诗
今朝有酒今朝醉
对月当歌
天
后来七贤没有钱
不久就作鸟兽

纵观整个封建社会，中国的政治气候总是不太正常，知识分子往往只能躲在诗中、酒中、女人中。换句话说，他们只能追求声色犬马。我们应该看到，在他们那快乐外表下所掩盖着的其实是一个个多么痛苦的灵魂。

约束中有放荡，放荡中有约束，这是刘伶的无奈，也是一个时代的无奈。

故事 5

专心

一天，范子华和他的门客在高台游玩。

一个门客说："有谁能从高台跳下去，就赏给他一百钱。"

大家纷纷响应，都假装争先恐后地要向下跳。只有商丘开一个人信以为真，跳了下去。只见他身轻如燕，飘然着地，身体竟毫无损伤。

众人感到很奇怪，于是指着旁边的深水潭说："潭底有宝珠，谁潜进去就可以得到。"商丘开又信以为真，潜到水底，果然找到了宝珠。大家感到十分惊奇，以为他有道术。

过了几天，范子华家发生火灾。他对众门客说："谁能进入火中抢救锦缎？抢救多少就赏给他多少。"

商丘开听了，立刻冲进火中，来回奔跑，身体丝毫没有烧着。

众人更加惊奇，问道："先生有什么道术吗?"

商丘开说："我哪有什么道术？只是有一点，我来到这里，从来没有怀疑过什么，把一切都当成真的。你们叫我从高处跳下，叫我潜进深渊，叫我进入火中，我毫不犹豫就

去做了，根本没有考虑到身体会损伤，这是因为我专心一致。”他又接着说：“但我现在发现，你们常常欺骗我。因此，我总是怀着猜疑之心，时时想着身体的安全，注意周围的一切，甚至庆幸以前没有被摔死、淹死和烧死。我现在想起来就胆战心惊，焦虑不安。你们再让我接近水火，我都不可能再像以前那样从容了。”

宰我听说了这件事，回来告诉孔子。

孔子说：“你不知道吗？诚信达到极致的人，就可以感动外物。他们动天地，感鬼神，纵横四方，难道仅仅只是能身入水火吗？商丘开把假当作真，尚且能够无所阻碍，何况我们本来就坚守诚信呢？你们要牢牢记住这点！”

酷评

在缺乏诚信的时代里坚守自己的诚信

古代的人往往很纯朴，也很天真，他们比我们今天的人更重朋友，所谓“生死之交一碗酒”。古人为了朋友，可以结拜成兄弟，可以两肋插刀。

但是，天真的时代已经一去不复返了，两千多年的封建统治让我们认识到天真是行不通的。据说，最早的山西票号放贷，只凭信用，连字据都可以不用立一张。山西的票号曾经辉煌一时，最终销声匿迹，正是因为他们始终坚守传统的信用制度，不肯引进现代银行机制。

我们今天面对的是一个缺乏诚信的社会，过期的牛奶、黑心的棉被、空壳的奶粉、有毒的白酒……这样或那样的假冒伪劣商品粉墨登场，社会诚信程度可见一斑。

我们正遭遇一场前所未有的诚信危机，许多人甚至只能用被称为成人童话的武侠小说中的侠义精神来慰藉自己的心灵。在缺乏诚信的时代里，我们是不是就此同流合污呢？不！人无信不立，我们更要坚守自己的诚信。

故事 6

吕洞宾学法术

有一次，吕洞宾跟着师父钟离权外出云游，路过一座大山，山势很陡。钟离权走在前面，步履轻盈，如履平地；吕洞宾跟在后面，气喘吁吁，一步一挪。他肩背一个几十斤重的大包裹，额头上豆大的汗珠不住地往下掉。

吕洞宾肩上的大包裹，是师父钟离权三年前交给他的，包了一层又一层，沉甸甸的，也不知道到底是什么东西。师父从来没对他说过，他也不多问，但不管走到哪里，师父都要他背着这包裹，直到今天。虽然肩膀早就红肿磨破，但吕洞宾一直没吭声，咬牙坚持着。

钟离权到达山顶后，便回过头来，只见吕洞宾还在半山腰里艰难地往上爬。他看到徒弟如此坚毅，心中十分欢喜，就在路旁的一棵大树下坐下，边歇息边等他。

一会儿，吕洞宾终于登上山顶。钟离权笑盈盈地招呼他："烈日当空，过来树荫下歇息一会儿再走吧。"

吕洞宾听师父这么一说，便蹲下身来，想卸下包裹。不料，一个不稳，包裹竟咕噜噜滚下了山坡。他唯恐摔坏了师父的宝物，便急忙追了下去。待赶下山坡一看，包裹已经被山石树茬划破，里面的东西也露了出来。吕洞宾不禁大吃一惊，这包裹里根本没有宝物，只有一块大石头。他呆立在当场，想了一会儿，却怎么也想不通师父的用意，只好重新把石头包好，又一次背上了山顶。

钟离权站在山顶，早把这一切看了个一

清二楚。等到吕洞宾把石头又一次背上山顶后，他便指着包裹说：“你把它打开吧。”

吕洞宾解开包裹，重新露出了石头。

钟离权笑呵呵地说：“你一定想知道为师为什么让你背这块石头吧？一来这能磨练你的意志，二来这块石头也能被点化成金。我现在就点石成金，也不枉你背它三年。”说完，用手指着那块大石头，说了一声“变”！只见石头立即变成了金光灿灿的一大块黄金。

吕洞宾看得出了神，不由得赞叹道：“师父的法术实在高超啊。”

钟离权问：“我将这法术传授给你，如何？”

吕洞宾沉吟了一会儿，问道：“施法以后，石头真的永远变成了黄金了吗？”

钟离权回答：“法术变出来的黄金并不是真金，真金始终如一，永远不会变。而法术变出来的黄金只能保持 500 年，时间一到仍然会变回石头的。”

吕洞宾听他这么一说，便拒绝学习点石成金术。

钟离权不解地问："为何不学？"

吕洞宾说："这样的法术，兴利于500年前，贻害于500年后，岂不误了500年后的人？"

钟离权听了不禁叹道："你的道念比我高出很多啊，将来你的正果必当在我之上！"

酷评

为下一道工序留好余地

所有的东西都处于历史长河中，一事一物都有有效期，都在随着斗转星移日夜变化着。

爱情也是如此。我们都希望爱情长久，但事实上永生的爱情并不存在。我们可以关注爱情永恒的一面，更可以关注其专注的一面。有人说，不求天长地久，但求曾经拥有。一段感情结束后，不必为无法得到永恒而痛心疾首，相反应该为曾经拥有真诚而倍感温馨。要知道我们所有的人都只不过是暂时活着。

另外，吕洞宾能想到500年以后的人，这是相当不容易的。我们每个人的工作都是一套完整工序中的一步，当我们在干活的时候，必须想到下一道工序的人。不要奢望有人能给你补台，事实上不给你拆台就已经很不错了。

有一位修自行车的老师傅，干活又快又好，每天有很多车排队。究其原因，是因为他每次修理，总会为下一次修理留有余地。

名人名言

生命短促，只有美德能将它留传到遥远的后世。

——莎士比亚

美犹如盛夏的水果，是最容易腐烂而难保持的……因此把美的形成与德行结合起来吧！只有这样，美才会放射出真正的光辉。

——培根

当良心、羞耻心、责任心和事业心在你的心灵中永远扎下根来的时候，你就会形成一种有道德的个性。

——苏霍姆林斯基

一个有道德的人是一个心里感到诱惑就对诱惑进行反抗，而决不屈从于它的人。

——弗洛伊德

卑鄙是卑鄙者的通行证，高尚是高尚者的墓志铭。

——北岛

铸成一把宝剑，在于剑锋的锐利及硬度，而不在于它的外鞘的辉煌；同样的，并不是金钱与财富能使一个人有价值，而是他的美德。

——塞涅卡

没有伟大的品格，就没有伟大的人，甚至也没有伟大的艺术家，伟大的行动者。

——罗曼·罗兰

幸运所需要的美德是节制，而逆境所需要的美德是坚忍，后者比前者更为难能。

——培根

一切美德都是由于放弃自我而成的，果实之所以极度甘美，便是由于企求萌芽使然。

——安德烈·纪德

道德观是人的独特品质的一个组成部分。

——泰戈尔

有比快乐、艺术、财富、权势、知识、天才更宝贵的东西值得我们去追求，这极为宝贵的东西就是优秀而纯洁的品德。

——斯迈尔斯

道德面貌渺小的地方，不会有伟大的人物出现。

——罗曼·罗兰

一个人如果不是真正有道德，就不可能真正有智慧。

——雪莱

品德，应该高尚些；处世，应该坦率些；举止，应该礼貌些。

——孟德斯鸠

在毫无慈悲的生存竞争中，道德不但无益而且有害。

——杰克·伦敦

谁能从道德败坏的地方脱出来，还保持洁白便是有了更伟大的道德。

——显克微支

道德的最大秘密就是爱，或者说，就是逾越我们自己的本领，而融入旁人的思想、行为或人格中存在的美。

——雪莱

一切人类的价值基础是道德。

——爱因斯坦

道德是一种在行为中作出正确选择的习惯，并且，这种选择乃是一种合理的欲望。

——亚里士多德

没有公民道德，社会就会灭亡；没有个人道德，他们的生存也就失去了价值。

——罗素

做一个自由的有道德的人，无视财富与物质而傲然自得，才是最伟大、最美好的。

——卢梭

道德无所谓新旧，唯有真纯的人才能够称得上道德二字，若言不顾行，行不顾言，即使你天天在高叫道德，结果终是一个坏人。

——郁达夫

要使人成为真正有教养的人，必须具备三种品质：渊博的知识、思维的习惯和高尚的情操。

——车尔尼雪夫斯基

有教养的人或受过理想教育的人，不一定是一个博学的人，而是个知道何所爱何所恶的人。

——林语堂

易喜易怒，轻言行动，只是一种浮气用事，此病根最不小。

——乔治·埃内斯库

教养是有教养的人的第二个太阳。

——赫拉克利特

不要把痰吐在井里，哪天你口渴的时候，也要上井边来喝水的。

——克雷洛夫

不尊重别人的自尊心，就好像一颗经不住阳光的宝石。

——诺贝尔

如果不学好治理自己，就会陷入灭亡的深渊。

——池田大作

严肃的人模仿高尚人的行动，轻度的人则模仿卑劣的人的行动。

——亚里士多德

对别人述说自己，这是一种天性；认真对待别人向你叙述他自己的事，这是一种教养。

——歌德

不管是在最快乐的时候、最惬意的时候，还是在最忧愁、最恼火的时候，理性是用以镇住各种坏脾气的唯一要素。

——笛福

天性好比种子，它既能长成香花，也可能长成草莓。人应当时时检查，以培养前者而拔除后者。

——培根

不修其身，虽君子而为小人；能修其身，虽小人而为君子。

——欧阳修

教养不是轻易地从别处买来贴在身上的东西，而是从你本人的生命里、皮肤底层渗透出来的光彩夺目的情操。

——池田大作

所以伟大的作品都含有乏味的部分，所以伟大的生平都含有平凡的片段。

——罗素

道德的本分是在于修身，修身而有益于文明，只是偶然的美事。企图依靠假设的事物来支配一切，可以说是极大的错误。人生在世不能以独善其身为满足。

——福泽谕吉

2.

法律高于一切

☞ 假如有一个贫穷的农夫，住在英国偏僻的乡村。他那间风雨飘摇的破屋子，随时都会倒塌。太阳光可以照进去，小虫子可以飞进去，风可以吹进去，雨可以飘进去……但是，英国女王的千军万马就是不能踏进去一步——因为它是私有的。

☞ 法律必须被信仰，否则它将形同虚设。

☞ 法律是一门艺术，自然理性是不可能处理好的，更需要人工理性。

☞ 联邦法官的理由是：知识产权，并不是给满头流汗辛勤劳动的人的奖赏。

☞ 用现代经济学的话来说：制度至关紧要，制度是人选择的，是交易的结果。好的制度浑然天成，清晰而精妙，既简洁又高效，令人为之赞叹。

故事 7

英国人的法制观念

英国石油公司要敷设一条新的天然气地下输运管线。

当最合理的设计方案完成时，公司发现他们遇到了麻烦：该管线的一段要通过一位老太太私人地产的地下。虽然管线是从约 10 米深处通过，但老太太毫不妥协，坚持不同意公司的要求。公司无法强行通过，因为保护私人财产是英国的法律，老太太有权保护她的地产不受侵犯。

于是，公司投书报界，力陈改道施工的

耗费将大大超过原计划的预算。作为国营企业，所花的每一分钱都是纳税人的血汗钱，并希望新闻界能造造舆论以说服老太太。

这是几年前英国报纸上的一则消息。当时，它是中国在英留学生饭后睡前的谈话资料。这些来自中国的学生几乎毫无例外地站在公司一边，老太太的“小我”应该服从“大我”，个人利益应当服从国家利益；更何况石油公司保证施工后，地面上的一切将恢复原状，并付给老太太一笔报酬，实属仁至义尽。

但出人意料的是，英美学生、港台地区以及其他华裔学生大多指责石油公司，认为登报是多此一举，老太太不同意就说明了一切。他们认为，与法律的严肃性相比，任何所谓的国家利益都是小事。法律赋予老太太的权利，她完全可以行使。即使法律有问题，也只能通过立法程序对法律进行修改，例如地下 10 米处到底属不属于“私人财产”？是否可以侵犯？均是严肃的法律问题。“法”则无灵活性可言！蔑视法律的神圣权威，将是国家的最大灾难。

这件事情的最终结果：英国公众没有因为需要多花钱而支持石油公司，国家司法机构也没有出面干涉老太太的固执己见。的确，也有人提出了 10 米深处的财产权问题，但石油公司因等不及“重新立法”，已经先行改道施工了。

酷评

法律高于一切

我们常说，人民利益高于一切。这自然是对的。

但是，谁来维护人民的利益呢？法律。所以法律高于一切。

是的，法律高于一切——高于公众利益、高于国家利益、高于国王，当然也高于任何个人。但是，法律在高于一切的同时，却一视同仁地保护每一个公民。试想，当大英帝国的法律无力保护英国一个普通公民的时候，

社会学家马尔萨斯认为，一个社会中，有5%的人是精英，5%的人是人渣，剩下的90%是乌合之众。好的社会，乌合之众跟着精英跑，不好的社会，乌合之众跟着人渣跑。
方成画
老谈印信

它也就同样无力保护大英帝国的国王。

法律尊重每一个个人，保护他的私有财产不受侵犯。假如有一个贫穷的农夫，住在英国偏僻的乡村。他那间风雨飘摇的破屋子，随时都会倒塌。太阳光可以照进去，小虫子可以飞进去，风可以吹进去，雨可以飘进去……但是，英国女王的千军万马就是不能踏进去一步——因为它是私有的。

法律在保护每一个普通人的同时，也保护了所有人，保护了人民的利益，保护了国王，最终也保护了法律自身。

这就是法律。

故事 8

大法官柯克的故事

这是 400 多年前的事情了。

1608 年的某一天，英国国王詹姆士一世在宫中闲坐无聊，忽然想去皇家法院亲自审理几件小民案件解解闷，也顺便体察一下民情。

国王一行来到法院，遇到普通诉讼法院首席大法官柯克（Edward Coke）爵士。令国王颇感意外的是，他的要求在柯克这儿碰上了钉子。

“普天之下，莫非王土，国家都在朕的统

狗咬狗违法吗
老潘印信

治之下，区区一桩案件，朕竟然无权御驾亲审，这是什么道理?”国王满脸不快地质问。

“陛下息怒，容臣禀告。陛下当然是国家的最高首脑，内政大事、外交方略，都由吾王总揽。但是，陛下要亲审案件这事，却是万万不可。”柯克显得很恭顺，但眼神中却透出一份坚定不屈。

“哈哈，国王不能审案，这倒是桩新鲜事。我的大法官阁下，你别给朕来这套抽象肯定、具体否定的花样。朕知道，吾国法律以理性为依归。你不让朕审案，显然是认为朕天生愚笨，不及你和你的同僚们有理性。”国王话中带刺。

柯克并不退让，一板一眼地说了一番话，这段话在英国法律史上极重要:

“不错，上帝的确赋予陛下极其丰富的知识和无与伦比的天赋。但是，陛下对于英格兰王国的法律并不精通。法官要处理的案件动辄涉及臣民的生命、动产或不动产，只有自然理性是不可能处理好的，更需要人工理性。法律是一门艺术，在一个人能够获得对它的认识之前，需要长期的学习和实践。”

这次冲突，是英国法律专业化历史上的一座里程碑。此后，英国的司法便成了职业法律家的垄断领域。不只是英国，在当今世界各国，从事法律职业都要以正规的大学法律教育为前提。

酷评

专业的事，交给专业的人去做

法律不是儿戏。法律讲求公正，法律面前人人平等。

柯克爵士的话，真是振聋发聩：“只有自然理性是不可能处理好的，更需要人工理性。”

其实，世上需要专业人士来做的，又岂止法律。还有许许多多的东西，看上去人人都会，但实际上并不那么简单。比如教外国人讲中文，并不是人人可以胜任的。大学里有专门的国际中文教育专业，除了学习语言学理论、汉语知识、教学法之外，还要懂得心理学、中国文化，以及对方国家的风土人情。必要的时候，还要学习多种外语。

其实，各个学科的发展十分迅速，早已呈现出越分越细的趋势。现在，已经没有人可以像亚里士多德那样，既是一位哲学家，又是一位物理学家，还是一位修辞学家。

不但如此，即使是同一门学科，由于内部分工越来越细，一个人即使皓首穷经，毕其一生的精力，也不可能成为整个学科的专家。好比有理论物理学家、实验物理学家、大气物理学家、地球物理学家……但已经没有物理学家了。即使有，也只是人们对他们的尊称。换句话说，一位某一方面的物理学家，对于物理学的其他领域，可以说是外行。

所以，专业的事，必须交给专业的人去做。

故事 9

大小电话本

美国加利福尼亚州有一家规模很大的电话黄页公司，依靠专门收集各地公司的电话号码，为消费者和企业间建立了桥梁。他们的规模越做越大，成了黄页行业的领头羊。于是，他们决计要进一步扩大规模，收集到全美各州的电话号码。

当他们收集到某一个县的时候，发现有家小公司已经将当地的所有号码收集齐全，并已经印刷出版。大公司为了提高工作效率，决定向小公司购买所有的号码，但被小公司拒绝。

最后，大公司没有征求小公司的同意，就将小公司掌握的号码全部使用在自己的号码本中。黄页出版后，小公司将大公司告上了法庭，结果当然是大公司败诉。

但是，大公司却不服判决，并进行上诉。尽管一路都被理所当然地驳回，但大公司最后还是一直告到美国联邦最高法院。

出乎意料的是，联邦法院的终审判决是小公司败诉！

联邦法官的理由是：知识产权，并不是给满头流汗辛勤劳动的人的奖赏。该地区的电话号码属于公共资源，不属于小公司所有。在IT时代，如果有人把全美国的电话号码都搜集起来，也不是不可能。如果这本电话号码本具有知识产权，其他人都不能用的话，那么，一旦使用，全美国岂不都在侵权？

酷评

重视知识产权

知识产权，是指自然人或法人对自然人通

过智力劳动所创造的智力成果，依法确认并享有的权利。目前，知识产权已经有了国际化的发展趋势。知识产权制度的国际化发展，是指世界各国知识产权制度在实质内容和申请审批程度上逐步简化和统一，日趋国际化。

知识产权的地域性、无形性和易传播性，一方面使得本国产生的智力成果在国外不能取得当然的保护；另一方面，由于传播媒体、通信工具的迅速发展和国际交流的日益频繁，大量的智力成果十分容易越过国界而进入他国。如果不对这些智力成果进行有效的国际保护，势必会影响、阻碍国际贸易及科学技术和文化的正常交流与合作。知识产权制度的国际化发展，反映了科技和经济国际化发展的客观要求。

正因为如此，美国对知识产权的界定也十分严格。大小公司各自的做法，恰恰体现了他们在不同的立场上维护各自权利的方法。

当然，法律会给出一个公正的交代。这次判决，可以说，既在情理之中，又在意料之外。

故事 10

律师买火险

律师乔斯华买了一盒稀有且昂贵的雪茄，还为雪茄投保了火险。结果他在一个月内把这些顶级雪茄抽完了，保险费一毛都没缴，却提出要保险公司赔偿的要求。

在申诉中，乔斯华律师指出：雪茄在“一连串的小火”中受损。保险公司当然不愿意赔偿，理由是：此人是以正常方式抽完雪茄的。结果乔斯华告上法院还赢了这场官司。

法官在判决时表示，他同意保险公司的

说法，认为此项申诉非常荒谬，但是乔斯华律师手上的确有保险公司同意承保的保单，证明保险公司保证赔偿任何火险，且保单中没有明确指出何类“火”不在保险范围内。因此，保险公司必须赔偿。

与其经历漫长的上诉过程，保险公司决定接受这项判决，并且赔偿15 000美金的雪茄“火险”。

然而，事情并没有结束。

乔斯华律师将支票兑现之后，保险公司马上报警将他逮捕，罪名是涉嫌“纵火案”！

有他自己先前的申诉和证词，这名律师立即以“蓄意烧毁已投保之财产”的罪名被定罪，要入狱服刑24个月，并罚款24 000美金。

这种事，也只有在美国才会发生！

酷评

美国人的法制观念

美国不仅是个自由国家，同时也是一个

法制国家，在给你自由的同时，也给了你限制。在大多数美国人的心中，都有一杆法律之秤，他们会用法律保护自己。

美国大街上很少见到警察，但是假如你从行驶着的汽车里往车窗外扔东西，很快就会有警察追上来把你拦住。不用纳闷，不是

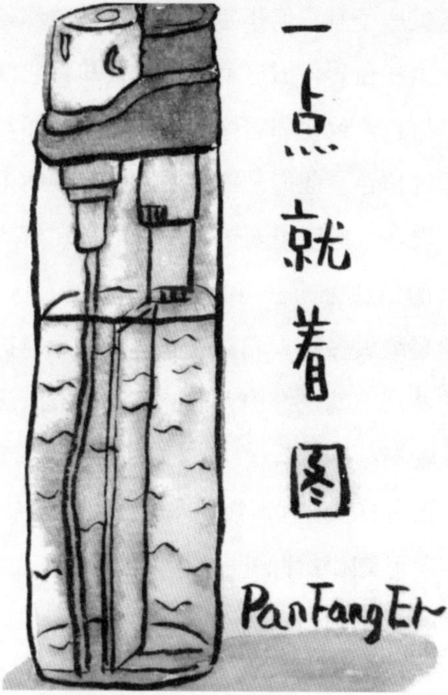

因为警察有千里眼，而是旁边车里的人打电话把警察叫来的。因为每一个美国公民，都不能对违反规定的事情视而不见。

最近有这样一则报道：一个房屋的主人重新油漆了他们自己家的外墙。结果被邻居一纸诉状告上了法庭，理由是这幢房子有百年以上的历史，是属于文物保护级的；再加上这类房子有它们指定的颜色，通常都是偏向于柔和色彩；但这家房屋主人却将它油漆成了橙色，致使邻居终日不敢开窗。面对这刺眼的橙色，他们一筹莫展，只有求助于法律。现在，房屋主人正在要求庭外和解。美国人的依法办事，可见一斑。美国人认为，法律是绝大多数人利益的综合反映，维护法律的尊严，就是维护大家的共同利益，法律的权威不容置疑。

正是有了这样严谨的态度和职业的律师，才推动了美国法律的进步。

故事 11

分粥制度

对权力制约的制度问题，一直是人类头疼的难题。请看下面的这个小故事。

有 7 个人组成了一个小团体共同生活，其中每个人都是平凡而平等的，没有什么凶险祸害之心，但不免自私自利。他们想用非暴力的方式，通过制定制度来解决每天的吃饭问题：要分食一锅粥，但并没有称量用具和有刻度的容器。

大家试验了不同的方法，发挥了聪明才智，经过多次博弈，最后形成了日益完善的制度。大体说来主要有以下几种：

方法一：拟定一个人负责分粥事宜。很快大家就发现，这个人为自己分的粥最多，于是又换了一个人，总是主持分粥的人碗里的粥最多最好。由此，我们可以看到：权力导致腐败，绝对的权力绝对的腐败。

方法二：大家轮流主持分粥，每人一天。这样等于承认了每个人有为自己多分粥的权力，同时给予了每个人为自己多分的机会。虽然看起来平等了，但是每个人在一周中只有一天吃得饱而且有剩余，其余6天都饥饿难耐。于是，我们又可得到结论：绝对权力导致了资源浪费。

方法三：大家选举一个信得过的人主持分粥。一开始，这品德尚属上乘的人还能基本公平，但不久他就开始为自己和溜须拍马的人多分。很显然，不能放任其堕落和风气败坏，还得寻找新思路。

方法四：选举一个分粥委员会和一个监督委员会，形成监督和制约。公平基本上做到了，可是由于监督委员会常提出多种议案，分粥委员会又据理力争，等分粥完毕时，粥早就凉了。

方法五：每个人轮流值日分粥，但是分粥的那个人要最后一个领粥。令人惊奇的是，在这个制度下，7只碗里的粥每次都是一样多，就像用科学仪器量过一样。每个主持分粥的人都认识到，如果7只碗里的粥不相同，他确定无疑将享有那份最少的。

酷评

制度为先

同样是7个人，不同的分配制度，就会有不同的风气。

我们看到，1978年与1979年，作为劳动者的中国农民，基本没有什么区别；同样，生产力发展水平也没有什么区别；资源状况也一样。但是，1978年末，政策发生了改变，推行农村经济体制改革，实行家庭联产承包责任制。于是，1979年的粮食产量有了提高。

用现代经济学的话来说：制度至关紧要，

制度是人选择的，是交易的结果。好的制度浑然天成，清晰而精妙，既简洁又高效，令人为之赞叹。

反腐败同样需要制度。

反腐败有治标的反腐败与治本的反腐败。以一个消防队长为例（我们绝无影射之意），任何单位都必须从他那里买消防设备，而设备有的便宜有的贵，所有单位都想买便宜的，但这要由消防队长决定。因此，各单位为了买便宜设备，开始请客送礼……慢慢地，这个消防队长就成了腐败分子。

现在，治标的反腐败的方法是：惩处这个消防队长，另外派一个最信任的人去当消防队长。可是不久之后，这个最信任的人很可能也成了腐败分子。

而治本的反腐败的方法是：打破垄断，引进竞争机制，允许符合规定的企业开设新的消防器材厂，同时规定各个单位可以到消防队买设备，也可以到别的地方买。腐败问题迎刃而解。

故事 12

邋遢道人巧分银子

明代道人张三丰，名君宝，号元元子。因其不修边幅，又号张邋遢。

一天，张三丰云游到贵阳北部的三江河，正流连于当地山清水秀的风景之中，耳边却忽然传来阵阵争执之音。闻声望去，只见不远处有三人正争得脸红脖子粗。张道人呵呵一笑，心中暗道，又有无量功德要做了，随即飘然而至。

那三人吵得正欢，突见一个穿得邋里邋遢的道人来到面前，不觉一愣。心想，哪儿钻出来一个臭道士?

张三丰也不在意三人异样的眼神，只是微微一笑，手拈长髯，问道:“几位兄弟，为何事争吵不休啊?”

三人心想原来是个多管闲事的，刚要赶他走，又转念一想，反正我们也吵不清楚了，还不如让这脏老头来评评理吧。于是便把事情的缘由娓娓道来:

原来这三江河两岸一直以来都是悬崖陡壁，不能通行。县太爷悬赏如有能架桥通路者赏纹银50两。这三人是同门师兄弟，又是造桥的行家，就领了这个差事，一同修桥。三人上山下石、不畏艰难、不辞辛劳，忙忙碌碌地修了几个月，今天终于完工，并领得了赏银50两。本以为可以好好地喝上两杯，谁知这钱分来分去就是分不均匀。三人都自认为在这次造桥的工程中出尽了全力，虽是同门却没有一个愿意吃亏的，互相争执不休，就差要拉下兄弟的脸面大打出手了。

三丰道人一听，呵呵一笑，说道:“像你

们这样争下去，总也没个了结。不如这样吧，让我这个臭道人来给你们分分看吧。”

三人互视了一下，觉得也未尝不可，姑且可以试试，就把50两纹银递了过去。

张三丰开心地一乐：“来来来，每人先拿好这15两纹银。”然后转身就向后走去，三人见状赶紧跟上前去。

邋遢道人来到一块长相奇特的断岩边停了下来。只见他手拿剩下的五两银子，口中念念有词，对着它吹了一口气。那五两银子就如长了翅膀一样地飞向了断岩，并牢固地镶在了断岩的缺口中间。

三人见此光景，方才明白遇见了活神仙，吓得跪在地上不敢抬头，张三丰幽幽一笑：“尔等三人，同为师兄弟，为世人架桥修德本是一件功德美事，现如今却为这白亮亮的劳什子，伤了兄弟的和气，损伤了功德，实属不该啊。如今我把这分不清、划不匀的劳什子放在了断岩的口中，如果你们三人有谁能拿得到，这锭银子就归他所有了，你们去试

试吧。”

三人一听，争先恐后地从地上爬起来跑了过去，伸手想拿银子。他们一会儿从上往下伸手，一会儿从左向右伸手，一会儿又从下往上伸手，直到手也伸疼了，脚也蹬酸了，脖子也扭肿了，就是连银子的边都摸不到，每次都差那么一点点。三个人想尽了办法，实在无能为力，只得灰溜溜地跑回家去了。

后来，传说这银子放了不知多少年，就是没有人能摸到它，特别是那些贪心的人，不仅摸不到银子，回家后还会全身疼痛三天三夜。

酷评

公平原则并不是绝对平均

三个同门师兄弟，原本齐心协力，共同勤劳致富奔小康。可惜未曾想到能共苦却无法同甘，不偏不倚摔倒在了“好日子”的门槛上。生活中我们往往也会遇到这样的情况。

这时候，当事人难免产生一种愤怒与委屈，多年的兄弟朋友，怎么关键时刻反目成仇？其实，这就是国人“不患寡，患不均”的通病所导致。所谓通病，也就是你有、我有、大家都有的毛病。

说到底，是我们的传统教育出了问题。

我们常常教育自己的孩子，社会应该是人人公平的，可现实的问题是，公平绝不可能不分时间、不分场合地出现在世界每一个角落。指挥手里可以拿指挥棒，难道每一个交响乐队成员手中也都要有一根指挥棒吗？总经理身边应当配一个秘书，难道每一个职员身后也必须站一个助理吗？总统手里掌控着核弹的发射装置，难道每一个公民口袋里也非要藏一个红色的按钮吗？

所以说，如果绝对公平的时代到来了，那整个世界一定会乱套。我们应该懂得，在某些时候就应该打破公平原则。比如50两纹银三个人不好均分，那么可以改换思路，试试按劳分配或按需分配。实在不行，就先搁置争议。

名人名言

法律的基础有两个，而且只有两个……公平和实用。

——伯克

法律的真正目的是诱导那些受法律支配的人求得他们自己的德行。

——托马斯·阿奎那

极端的法规，就是极端的不公。

——西塞罗

法律是为了保护无辜而制定的。

——爱略特

法律的力量应当跟随着公民，就像影子跟随着身体一样。

——贝卡利亚

在一切能够理解法律支配的人类的状态中，哪里没有法律，哪里就没有自由。

——洛克

疏法胜于密心，宽令胜于严主。

——吕坤

人们嘴上挂着的法律，其真实含义是财富。

——爱默生

法律是一种强制性秩序。

——凯尔森

水者火之备，法者止奸之禁也。

——桓宽

凡是解释越简单的法律，也就是越公正的法律。

——托马斯·莫尔

所谓人的法律，我是指生活的一种方策，使性命与国家皆得安全。

——斯宾诺莎

自由是一种务必有其自我的权威纪律以及制约性的生活方式。

——李普曼

法律不可能使本质上是道德的或纯洁的行为变为犯罪行为，正如它不能使犯罪行为又变成纯洁的行为一样。

——雪莱

法大行，则是为公是，非为公非。

——刘禹锡

法律是人民意志的自由而庄严的表现。

——罗伯斯庇尔

宪法创制者给咱们的是一个罗盘，而不是一张蓝图。

——波斯纳

有理智的人，在一般法律体系中生活，比在无拘无束的孤独中更为自由。

——斯宾诺莎

法律是无私的，对谁都一视同仁。在每件事上，她都不徇私情。

——托马斯

在民法慈母般的眼神中，每个人就是整

个国家。

——孟德斯鸠

我不同意你说的话，但是我愿意誓死捍卫你说话的权利。

——伏尔泰

法律是最保险的头盔。

——爱·科克

有两种和平的暴力，那就是法律和礼节。

——歌德

真理是时间的孩子，不是权威的孩子。

——布莱希特

真理一定包含着至高的善，但善的事物却未必包含着真理。

——狄更斯

人的最高尚行为，除了传播真理外，就是公开放弃错误。

——李斯特

真理是人生的向导与光辉。

——狄更斯

我们探求真理，在一切事件中，获得真理是最高的快慰。

——桑塔亚那

一个人只要肯深入事物的表面以下去探索，哪怕他自己也许看得不对，却为旁人扫清了道路，甚至能使他的错误也能为真理的事业服务。

——伯克

通向谬误的道路有千万条，通向真理的大道只有一个。

——卢梭

人的天职在于勇敢探索真理。

——哥白尼

错误经不起失败，但是真理却不怕失败。

——泰戈尔

信仰是人生动力。

——列夫·托尔斯泰

信仰是一种伟大的情感，一种创造力量。

——显克微支

真正的信仰是建立在岩石上的；而其他一切却颠簸在时间的波浪上。

——培根

信仰是可以创造奇迹的。

——马克·吐温

你有信仰就年轻，疑惑就年老；有自信

就年轻，畏惧就年老；有希望就年轻，绝望就年老；岁月使你皮肤起皱，但是失去了热忱，就损伤了灵魂。

——卡耐基

信仰不是一种学问，信仰是一种行为，它只被实践的时候才有意义。

——罗曼·罗兰

3.

责任重于泰山

☞ “世人皆醉我独醒”，在民族危难的时刻，需要有人勇敢地扛起旗帜，率领人们保卫国家。在鲁迅先生看来，只有冲破铁屋的呐喊，才能唤醒梦中之人。

☞ “生年不满百，常怀千岁忧。”一个人的一生，一般在 3 万天左右。一般人只有不到 1 万天的工作时间。

☞ 侍者端来一个盘子，盘子里盛满了钞票，说：“你们也许是刚刚来到这里。我们的规矩是：你享受的服务越多，得到的金钱就越多，这些是你们今天的消费。”

☞ 古人每逢过年，都要在家里供奉“天地君亲师”的牌位。后来“君”（皇帝）没有了，就改为“天地国亲师”。不忠君，但还可以爱国，牌位的顺序并没有变。

故事 13

生命的旅程

创世第一天，上帝创造了牛。

上帝对牛说："今天我创造了你！作为一头牛，你必须跟农夫下地，终日在日头下劳作！我给你 50 年的寿命。"

牛不同意："什么？这种苦日子你要我活 50 年？让我活 20 年吧，30 年还给你。"

上帝同意了。

第二天，上帝创造了猴子。

上帝对猴子说："你必须带给人们娱乐。你必须让他们开怀大笑，耍把戏。我给你 20

年寿命。”

猴子不干：“什么？让他们开怀大笑？做鬼脸耍把戏？10年就够了，另外10年还给你。”

上帝同意了。

第三天，上帝创造了狗。

上帝对狗说：“你应该终日坐在自家门口，有人进来就叫！我给你20年寿命。”

狗反对：“什么？整天坐在门口？绝对不行！我退给你10年寿命！”于是上帝同意了。

第四天，上帝创造了人。

上帝对人说：“你的工作就是吃喝玩乐睡大觉，尽情享受人生。只管享受，什么都不干。这种生活，我给你20年寿命。”

人反对说：“什么？这样的好日子！除了吃喝玩乐，什么都不干。尽情享受，而你让我只活20年？不行，老兄！我们何不做个交易？既然牛退给你30年，狗还你10年，猴子退回10年，你把这些统统给我！这样我的寿命就有70年了。行吗？”

上帝同意了。

这就是为什么头 20 年，我们吃喝玩乐，尽情享受，无所事事。接下来的 30 年，我们终日像牛一样辛苦工作，养家糊口。之后的 10 年，我们像猴子一样扮鬼脸耍把戏让孙辈开心。最后 10 年，我们像狗一样待在家里，坐在门口，对人大叫。

酷评

人生的责任

这个故事，把人生的旅程划分得清清楚楚，各个阶段的特点，也一目了然。

每当人们听到这个故事，都会发出会心的微笑。然而，除了这一切，我们还有什么启发?

其实，中国的古人说得好:“生年不满百，常怀千岁忧。”一个人的一生，一般在 3 万天左右。而可以用来工作的时间，事实上是很少的。我们每年工作的时间大概是:

52 周 ×5 天 / 周 =260 天

即便我们 20 岁开始工作，直到 60 岁退休，我们一生的工作时间按 40 年计算：

260 天 ×40=10 400 天

如果我们 25 岁开始工作，55 岁退休，我们一生的工作时间按 30 年计算：

260 天 ×30=7 800 天

也就是说，一般人只有不到 1 万天的工作时间。

那么，从这些数据之中，你想到了什么？

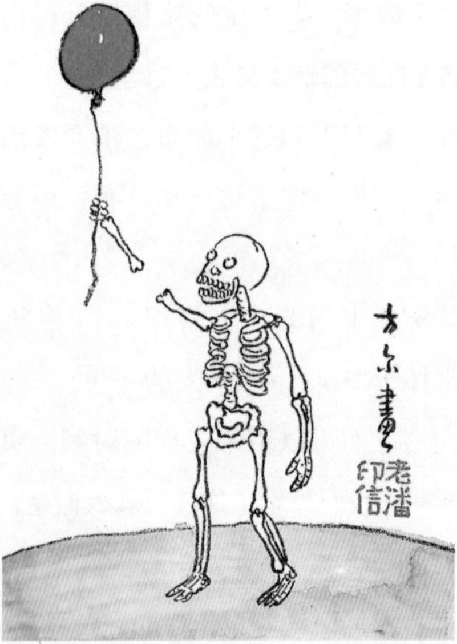

故事 14

卡特总统揽责

在营救驻伊朗的美国大使馆人质的作战计划失败后，当时美国总统吉米·卡特即在电视里郑重声明：

“一切责任在我。”

仅仅因为上面那句话，卡特总统的支持率骤然上升了 10% 以上。

酷评

勇于承认错误

我们常常看到这样的情况：事情出在下

面，但责任在上面。

虽然营救人质计划的失败与总统并没有直接的联系，但卡特总统的例子说明：下属对一个领导的评价，往往决定于他是否有责任感。勇于承担责任，不仅使下属有安全感，而且也会使下属进行反思，反思过后会发现自己的缺陷，从而在大家面前主动道歉，并承担责任。

做下属的最担心的就是做错事，特别是花了很多精力又出了错，而在这个时候，老板来了句“一切责任在我”，那么，这个下属又会是何种心境？

老板这样做，表面上看是把责任揽在了自己身上，使自己成为受谴责的对象，实质上不过是把下属的责任提到上级领导身上，从而使问题解决起来容易一些。假如你是个中级领导，你为你的下属承担了责任，那么你的上司是否也会反思，他也有某些责任呢？一旦公司里上行下效，形成勇于承担责任的风气，便会杜绝互相推诿、上下不团结的局面，使公司有更强的凝聚力，从而更有竞争力。

承认错误，是改正错误的第一步。

当问题发生时，我是源泉我负责，寻找解决方法，而不是找替罪的羔羊。

故事 15

如此国度

一艘大船在海上航行，突遭海难，水手纷纷弃船逃生……

有两个水手一起抓住一块大木板，随波漂流，终于搁浅在一个海滩上。原来，这是一座小岛。

他们俩醒了，疲惫不堪，相互搀扶着走上小岛。岛上风景很好，人们脸上也洋溢着灿烂的笑容，好像一点都不排斥这两个陌生人。奇特的是，很多人身上都背着一个大袋子。

他们俩饿极了，想找一家餐馆弄点吃的。可是他们身上没有钱，又不愿被饿死，宁愿吃完饭为别人干活来偿还饭钱，或者被打一顿也无所谓。

于是，他们来到一家餐馆，美美地吃了一顿。就在他们准备结账（其实是摊牌）的时候，侍者端来一个盘子，盘子里盛满了钞票，说："你们也许是刚刚来到这里。我们的规矩是：你享受的服务越多，得到的金钱就越多，这些是你们今天的消费。"

竟然有这样的好事！两个水手觉得奇怪，就问侍者："那么，其他餐馆、宾馆、商场也一样吗？"

侍者回答得很干脆："在我们国家，到处都是一样的。"

两个水手来到一个商场，"买"了一大堆高级服装、皮鞋，以及许多日用品。结果，他们又得到了厚厚一叠钱。

这里真的是天堂！他们开始毫无顾忌地大肆采购：豪华汽车、高级别墅……很快，他们手里的钱就多得拿不动了。他们想，反正钱随时可以得到，要了也没有用，就顺手把一大袋钱扔进了垃圾桶。

就在此时，一个警察拦住了他们："你们怎么可以把钱扔掉！不知道国家的法律吗？钱是不可以随便丢弃的！否则就要坐牢。"

两个水手马上解释说自己是外国人，刚刚来到这个国家，不知道还有这样的法律。

警察说："外国人也不例外，你们在离开我们国家的时候，要把这些钱用完。"

两个水手忙问："怎么才能用完呢？"

警察回答说："劳动，为别人干活，然后把钱拿给他，什么时候你们手里没有钱了，你们才可以离境。"

两个水手立刻明白了，为什么街上会有很多人背着大袋子，原来都是在送钱。

酷评

要有一点责任意识

不难想到，这两个水手得到的不是钱，

而是“负钱”——是债务，是责任！

这是一个多么文明的国度啊！人人都洋溢着愉快的表情，人人都以向他人付出劳动为荣。一个人享受的服务越多，他所承担的责任就越大，而逃避责任是可耻的。一切都是那么公平、那么自然！

人与人的关系，靠责任来维系、来约束，这难道不是最好的法律吗？一个国家、一个民族，如果人人都有一种责任感，那肯定有前途、有希望。

人类在不断地追求自由，包括行动上的自由和精神上的自由。那么，自由到底是什么？自由是以责任为纽带的人类的个性释放，是以责任为基础的不可替代的精神愉悦。

“天下兴亡，匹夫有责。”我们自出生之日起，就享受着方方面面的服务：养、教、衣、食、住、行……我们如果不具有一种责任意识，那么，活着跟死去有什么分别？

故事 16

来生变父亲

一个富翁把三个欠自己债的人都叫到了家里，吩咐道："你们如果真的一贫如洗，无法还债，那可以对我发誓，说明来生怎样偿还，我就烧了借据，从此清账。"

欠债最少的人说："我愿来生变马，给主人骑，以还今生的债。"富翁点头，将借据烧掉了。

欠债不多不少的人说："我愿来世变牛，代替主人出力，耕田耙地，以还今生的债。"富翁又点点头，把他的借据也烧了。

最后，一个欠债最多的人说：“我愿来生变成你的父亲还债。”富翁听了大怒，说：“你欠我许多银子，不但不还，反倒要讨便宜，是什么道理！”说着就要打骂。

欠债最多的人却说：“我欠你的债极多，不是变牛变马所能还得完的，我只好情愿来生变成你的父亲，劳苦一生，不顾自己的身体性命，积成这样大的房产家业。自己不肯享用，全部都留给你舒舒服服地享用，这样岂不可以还你的债了吗？”

酷评

“父亲”是“奉献”的同义词

当父亲真的不是一件占便宜的事。

古人每逢过年，都要在家里供奉“天地君亲师”的牌位。后来“君”（皇帝）没有了，就改为“天地国亲师”。不忠君，但还可以爱国，牌位的顺序并没有变。旧式婚礼，也总是“一拜天地，二拜高堂……”

父亲的形象崇高而伟大，扯上金钱似乎

是对父亲的亵渎，但无论从物质上还是精神上，父亲对子女的付出都远远超过他们得到的回报——这个定理同样适用于母亲。

不养儿不知父母恩，我们打出生那天起，就享受着父母无私的爱。他们供我们吃，供我们穿，还供我们读书，到头来往往得到的还是我们的不满、抱怨和百般苛求，这岂不是悲哀？

我们没有办法选择自己出生的家庭，但我们可以选择对待家庭的方式。我们的父母不是正努力地改变着这个家庭吗？我们对他们的付出那么心安理得，对自己的言行却是那么不负责任。我们也要为人父、为人母，试想，你的呕心沥血换来的是挑三拣四、颐指气使，你会作何感受？

父亲不好当，我们先当好儿女吧！

故事 17

迟到的理由

作为波士顿某所大学的新生，很多人都对校园不熟悉，因此上课总是迟到，不是因为找不到教室，就是因为忘了上课的时间。

但有一名教授特别不能容忍拖拉，清楚地声明不接受任何迟到的理由。所以，一天早上当一个学生姗姗来迟时，同学们都为她捏了一把汗。

教授当然很不高兴，他毫不客气地斥责了这个学生。

迟到的同学不安地解释道："我在排队等

着买您的新教科书。”

教授注视着其他学生，问：“那么，为什么你们其他人都没有迟到呢？”

酷评

没有任何借口

一个人犯错误，有千万条理由，但是，事情的真相是：错误已经产生。这时，一切解释都显得徒劳和苍白。

我们从小就习惯给自己找各种理由：因为妈妈没有喊起床，上课迟到了；因为太粗心，考试考砸了；因为忘了时间，错过了一笔重要的生意；因为……我们总有说不尽的借口。而且，大家都乐意将这种借口当作对错误或失误的弥补。大家也都想当然地认为这些理由可以博得别人的理解，可以挽回自己的面子。

事实上，这种开脱就是对自己的纵容。无形中，我们放松了对自己的要求，认为只要有个看上去合理的理由，犯点小错误也无妨，这是何等狭隘的观念啊！

在追求高效的时代，人们只关心事情的结果：“不要跟我说原因，我没有兴趣！”一次两次尚可原谅，如果还有第三次，对不起，bye-bye！就这么残酷。千万不要唠唠叨叨对你的老师或上司解释你失误的理由，你应该用行动告诉他，这种失误真的是偶尔的。

故事 18

“我的眼睛也会瞎的”

19 世纪初，意大利天文学家皮亚斯用望远镜发现了第一颗名为谷神星的小行星。

但是，当这颗行星一接近太阳，便很快消失在太阳光里。从此，再也看不到这颗星了，用望远镜也不起作用。

高斯在近 30 岁时，开始寻找这颗谷神星。

高斯（1777—1855），是德国数学家、物理学家和天文学家。他早期研究数论，对超几何级数、复变函数论、统计数学、椭圆函数论方面都有重大贡献，对物理学、天文学、测地学等也有很大贡献。

当时，他没有用望远镜，只在办公室里夜以继日地用铅笔在纸上计算，终于算出了这颗新的行星轨道，准确地指出了它的位置。当天文学家们用望远镜朝高斯所指的地方看去时，果然发现了这颗星。后来，人们把它称为用“铅笔尖”发现的一颗新行星。

高斯在创立了一种十二次方程的计算方法以后，仅仅花了一个小时，就求得了谷神星的运行轨道。在此以前，另一位数学家欧拉为了求得同样的结果，却花了整整三天时间，以致为复杂的计算把眼睛也累瞎了。

当有人和高斯谈起这件事时，高斯耸耸肩膀说：“一切都不用奇怪，要是我不变换计算方法，我的眼睛也会瞎的。”

酷评

除了有热情，还要讲方法

《魔鬼词典》里对“美国精神”的解释

是：只要一味蛮干就能成功。然而，一味蛮干的结果，成功的不多，“累死”的不少。

苦干，对于成功至关重要，但如果没有“巧干”的配合，结果常常会吃力不讨好，所以，成功 = 苦干 + 巧干。

一头驴子在被蒙上眼睛之后，就会绕着磨盘一圈又一圈地转，根本不问为什么，直到走不动。我们不是驴子，我们是有着发达思维的人。老天给我们大脑，就是用来思考的。当解决问题碰到了困难，不妨停下来想想，是不是方法错了，还有没有别的途径。只有在不断审视和调整中，才能一步一个脚印地走向成功。

我们执着的，往往不一定是对的。如果是一开始就误入歧途，那么，我们越执着，就离目标越远。承认自己的失误甚至错误，没有什么不好。探索和前进从来就不是一帆风顺的。

名人名言

责任，就是对自己要去做的事情有一种爱。

——歌德

人类应当努力减少痛苦与残忍，这是我们最重要的责任。

——罗曼·罗兰

责任是权力的一面。

——外国谚语

大自然只做它该做的事情，你则应尽你应尽的责任。

——弥尔顿

责任并不是一种由外部强加在人身上的义务，而是我需要对我所关心的事情作出反应。

——弗洛姆

责任感常常会纠正人的狭隘性。当我们徘徊于迷途的时候，它会成为可靠的向导。

——普列姆昌德

做人就意味着尽责任。

——圣埃克苏佩里

高尚、伟大的代价，是负责任。

——丘吉尔

人从他被投进这个世界的那一刻起，就

要对自己的一切行为负责。

——萨特

只有克尽己责的人才能发现他首先要了解的是自身以及什么是自己的责任。

——蒙田

一旦受到责任感的驱使，就能创造出奇迹来。

——门肯

如果你做某事，那就把它做好。如果你不会或不愿做它，那最好不要去做。

——列夫·托尔斯泰

我们不是为自己而生的。我们的国家赋予我们活着以应有的责任，我们的亲属也同样如此。

——西塞罗

有了责任心，生活就有了真正的含义和灵魂。

——穆尼尔·纳索夫

我们应该不虚度一生，应该能够说：我已经做了我能做的事。

——居里夫人

天下兴亡，匹夫有责。

——顾炎武

人生须知负责任的苦处，才能知道有尽责的乐趣。

——梁启超

鞠躬尽瘁，死而后已。

——诸葛亮

一个人若是没有热情，他将一事无成，而热情的基点正是责任心。

——列夫·托尔斯泰

每个人都应该有这样的信心：凡是人能做的事，我都会做；我能承担男人无法承担的责任。

——林肯

设定目标是管理者的责任，实际上是他的首要责任。

——巴纳德

友谊永远是一种甜蜜的责任。

——纪伯伦

社会就像一艘船，每个人都应该准备好掌舵。

——易卜生

人可以不伟大，但不可以没有责任心。

——比尔·盖茨

热爱他的职业，不怕长途跋涉，不怕肩

负重任，好似他肩上一日没有负担，他就会感到痛苦，就会感到生命没有意义。

——汉姆生

世界上没有卑贱的职业，只有卑贱的人。

——林肯

男人们要坚信自己的职业比其他任何职业都重要，如若不然，他就无法坚持这个职业。

——尼采

让我们晕头转向的，并不是工作的繁重，而是我们没有搞清楚自己有多少工作，该先做什么。

——卡耐基

每个人必须在自己国家里面执行一种最适合于他的天性的职务。

——柏拉图

在所有的职业中，每种职业都规定出一副面孔，以表示它想成为人们认为它应当是那样子。同样，我们也可以说，世界只不过是由面孔组成的。

——拉罗什富科

在子女还小时，父母就应当考虑他们将来的职业方向并加以培养，因为这时他们最易塑造。但是这一点正要注意，并不是孩子小时候喜欢的，也就是他们终生所愿从事的。

——培根

对于一切尊贵的职业，荣誉可以说是报酬的大部分。

——亚当·斯密

所有的职业，艺术和工匠工作，都是因为有了劳动的分工而相区别的。

——康德

占据一个你所不能胜任的职位，是最不道德的行为。

——拿破仑

世界根据一个人职业上的能力评价他，我们评价自己也是依据同样的标准，因为我们在生活中的成功取决于它。

——赫兹里特

职业相同者本能地相互认同，犯同样罪恶的人也如此。

——普鲁斯特

选择职业对于加入劳动大军的青年具有重大的意义，因为从事符合自己的兴趣和能力的劳动比从事违反本性的劳动要使人愉快得多。

——克鲁普斯卡娅

4.

自信
引发力量

☞ 法国大作家巴尔扎克的手杖上刻着这么一句话："我粉碎了每一个障碍。"后来，奥地利的颓废作家卡夫卡也曾用过这句话，不过颠倒了话中的主语和宾语："每一个障碍粉碎了我。"可见，"我"与"命运"是你死我活的关系，关键看谁更强大。

☞ 自信与自强是互为因果的。因为自信，我们自强；因为自强，我们自信。

☞ 有了勇气和适应性，我们就可以每天在科学上作出科学的判断和不科学的结论。其中，科学的判断是给自己的，而不科学的结论则是给这个世界的。因为这个世界还没有准备好接受我们作出的科学判断，或许还要等 300 年。

☞ 今天不行，不等于明天不行，更不等于永远不行。同样，这里不行，不等于那里不行，更不等于到处不行。

故事 19

大无畏

相传有一位云居禅师，他的胆量令人惊奇，每天晚上都要孤身去荒岛上的洞穴坐禅。

村里有几个年轻人想要试试云居禅师的胆量。从佛寺到岛穴的路上，有一片密密的松树林，松枝低垂，有的几乎快要碰到行人的头顶。年轻人的恶作剧是：夜里潜伏在松树上，等云居禅师经过时，从上面突然按住他的光头，好好吓一吓他。

当天夜里，一个年轻人自告奋勇地上树埋伏。云居禅师果然按时穿越松林，年轻人依计而行，突然伸手自上而下地扣住了禅师的光头。年轻人原以为禅师必定吓得魂飞魄散，不是哇哇大叫，就是仓皇逃窜。哪知禅师毫不惊慌，任年轻人扣住自己的头，不言不叫，静静地伫立不动。这么一来，年轻人反而吓了一跳，急忙将手缩回。于是，禅师又若无其事地悄然离去了。

“不愧为开悟的和尚，真是胆大！”事后，村里的年轻人谈起，个个都对禅师的胆量佩服得五体投地。但大伙儿又感到纳闷：不论怎么说，走夜路的时候，突然从黑暗之中伸出一只怪手扣住自己的头颅，总该有点反应才对啊。于是，他们便结伴到云居禅师那儿去摸底细了。

他们问禅师：“大师，最近这一带好像不太平静，听说每天晚上有妖魔鬼怪之类的东西出现，您知道吗？”

云居禅师断然否定：“没有这种东西，那都是人们心头的幻影。”

“是吗？不过听说昨晚有人走夜路时被妖

魔按住了头呢。”

“老衲昨晚也被按住了头，但那并非是妖魔，而是村里的年轻人！”

“您怎么知道是村里的年轻人呢？”

禅师气定神闲地答道：“因为那只手非常宽厚而且暖和啊！”

这群年轻人个个惊讶得说不出话来。在遭到吓死人的突然袭击时，云居禅师竟然还能从一只宽厚暖和的手来判断是村里年轻人的恶作剧，这份定力实在了不起。

酷评

自信与自强相辅相成

禅师的定力，是透过坐禅养成的直觉和胆量。简而言之，就是一个“悟”字：大彻大悟，超脱生死。因为“悟”，所以大无畏。

世上有不同类型的人。法国大作家巴尔扎克的手杖上刻着这么一句话：“我粉碎了每一个障碍。”后来，奥地利的颓废作家卡夫卡也曾用过这句话，不过颠倒了话中的主语和

夏夜嗡嗡戏开场
蚊君热恋起牛郎
窗前密语无需请
夜半狂欢似霸王
轻吻细叮情意满
红色满天爱飞扬
莫拍小虫情意长
共舞夏夜乐无疆
嗡
嗡
嗡
嗡

宾语:“每一个障碍粉碎了我。”可见,“我”与“命运”是你死我活的关系,关键看谁更强大。

世事变幻,祸福无常。人生在世,完全有可能碰到一些意外的突发事件。面对突发事件,我们要提高自己的抗击打能力,随时准备迎接挑战,处变不惊,从容应对,用自信和镇定自若来嘲笑命运的不公。

自信与自强是互为因果的。自信是胜过一切的强大武器,而自强则是自信的稳固基础。唯有自强,才能克服恐惧,把挑战变成发展的机遇。与此同时,自信又是自强的原因:没有自信,何以自强?

因为自信,我们自强;因为自强,我们自信。

故事 20

只有一根柱子

300 多年前，建筑设计师克里斯托·莱伊恩受命设计了英国温泽市政府大厅。

他运用工程力学的知识，依据自己多年的实践，巧妙地设计了只用一根柱子支撑的大厅天花板。

但是，一年以后，在进行工程验收时，市政府的权威人士却对此提出了质疑，并要求莱伊恩一定要再多加几根柱子。

莱伊恩对自己的设计很有自信，因此他非常苦恼；坚持自己的主张吧，他们肯定会另找人修改设计；不坚持吧，又有违自己为人的准则。矛盾了很长时间，莱伊恩终于想出了一条妙计，他在大厅里增加了四根柱子，但它们并未与天花板连接，只不过是装装样子，糊弄那些自以为是的家伙。

300 多年过去了，这个秘密始终没有被发现。直到前两年市政府准备修缮天花板时，才发现莱伊恩当年的“弄虚作假”。

作为一个建筑师，莱伊恩也许并不是最出色的，但作为一个人，他却非常伟大。这种伟大，表现在他始终恪守自己的原则，给心灵的高贵一个美丽的住所，哪怕是遭遇到最大的阻力，也要想办法抵达胜利的彼岸。

酷评

坚守你的自信和高贵

在生活中，经常有人对我们的所作所为说三道四，妄加评论。人们总是要对一些事情发表自己的看法，否则就无法证明自己是聪明人。对此，我们要作好充分的心理准备。

那么，我们如何来应对呢？

一方面，要有勇气。不要让别人的看法左右自己的判断。这并不是说，我们不听取别人正确的看法，而是说，当我们坚信自己是正确的时候，一定要勇于坚守自己的高贵。

另一方面，要有适应性。宁折不弯固然可敬，但缺乏韧性，常常会导致悲剧。在这个世界上求生存，柔韧是必不可少的。

所以，有了勇气和适应性，我们就可以每天在科学上作出科学的判断和不科学的结论。其中，科学的判断是给自己的，而不科学的结论则是给这个世界的。因为这个世界还没有准备好接受我们作出的科学判断，或许还要等300年。

布鲁诺是一个宁折不弯的例子。因为坚持日心说，他于1600年在罗马鲜花广场被绑在火刑柱上活活烧死！

那么，我们是选择做布鲁诺，还是莱伊恩？

故事 21

我哪儿去了

以前，一个小县里有一个记性很不好的差人。

一次，他负责押送一个犯了罪的和尚交给府上查办。差人为了防止在路上遗漏什么，动身前他把所有的人和物品都检查了一遍，依次记在纸上，每天都查好几遍，看看有没有遗漏：包裹、雨伞、枷锁、公文、和尚、我。

狡猾的和尚不久就知道他很糊涂，便找了个机会在旅店里把他灌醉，还把他的头发给剃光了，然后偷了钥匙，把枷锁解开并套在他脖子上，自己逃走了。

第二天早上，差人醒来后第一件事就是检查有没有少了东西。

“包裹，”差人喊一声，看到包裹在桌上放着，就应了一声“有！”

“雨伞，”雨伞放在包裹旁，“有！”

“枷锁，”差人找了一会儿，发现枷锁在自己脖子上，又答了一声“有！”

“公文，”摸摸身上，公文还在，就应了一声，“有！”

“和尚，”糟糕，差人四处看，和尚都不在，他急出一身冷汗，把犯人丢了可不是闹着玩的。后来，在铜镜里看到自己的光头才松了口气，“谢天谢地，和尚也在！”

于是，他继续喊：“我。”可是，“我”却找来找去找不到。

差人很是迷惑：“别的都在，那么‘我’哪儿去了？”

不要在人群中迷失自我

凭借有没有头发来区分“和尚”和“我”，如此表面地判断事物，难怪会找不到自己。

观察事物不能只看表面，要抓住关键，抓住实质。观察自我更是如此。

这个故事，反映了一个人在成长过程中必然出现的主体意识。我们很多时候不禁会思索：人在宇宙中的地位是什么？我们个人在社会、人群中的地位是什么？这个时候，很容易迷失自己。个人在宇宙和社会中来说相当卑微的，但是对于个人来说却是唯一而又最重要的。

所以，在人群中，我们要把握自我，不要迷失自我，这在很多方面都能体现出来。就比如很多人习惯随波逐流、人云亦云，别人做什么他也去做什么，别人说什么他都觉得对。这个时候，他就是迷失了自己，找不到自己了。

人生中最会思索的两个时刻，分别是晚上睡觉前和早上醒来时。这个时候，不妨想想，你做的是不是你自己？是不是为你自己而活？你是不是能找到你自己？如果这三个问题你都不能很肯定地回答，或者产生了模糊的疑问，那么很可能你已经迷失自我了。

我们的建议是，多多思考，找回自我。

故事 22

一支铅笔有无数的用途

美国纽约里士满区有一所穷人学校，它是贝纳特牧师在 20 世纪 30 年代经济萧条时期创办的。

1983 年，一个名字叫普热罗夫的捷克法学博士，在做毕业论文时发现，50 年来，该校出来的学生在纽约警察局的犯罪记录最低。

普热罗夫向市长申请了 1.5 万美元的经费，展开了漫长的调查活动。从 80 岁的老人到 7 岁的学童，总之，凡是在该校学习和工作过的人，只要能打听到他们的住址或信箱，他都要给他们寄去一份调查表，问：“圣·贝纳特学校教会了你什么？”

在将近6年的时间里，他共收到3 756份答卷，在这些答卷中，有74%的人回答说，他们知道一支铅笔有多少种用途。

普热罗夫本来的目的，并不是真的想搞清楚这些没有进过监狱的人到底在这个学校学到了什么，而是想拖延在美国的居留时间，但当他看到这份奇怪的答卷以后，再也不顾这么多了，决定马上进行研究。

普热罗夫首先走访了纽约最大的一家皮货商店的老板，老板说：“是的，贝纳特牧师教会了我们一支铅笔有多少种用途。我们入学的第一篇作文就是这个题目。当初，我认为铅笔只有一种用途，那就是写字，谁知道铅笔不仅能用来写字，必要时还能用来做尺子画线，还能作为礼品送人表示友爱；能当商品出售获得利润；铅笔的芯磨成粉后可作为润滑粉；演出时可临时用于化妆；削下的木屑能做成装饰画；一支铅笔按照相等的比

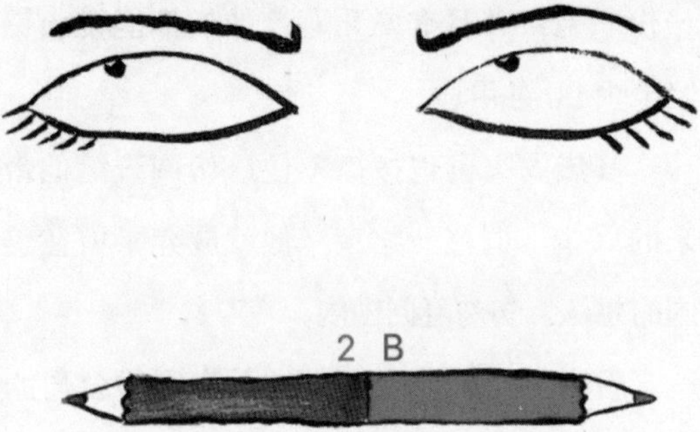

例锯成若干份，可以做成一副象棋，可以当作玩具的轮子；在野外有险情的时候，还能当作自卫武器……总之，一支铅笔有无数种用途。贝纳特牧师让我们这些穷人家的孩子明白，一支铅笔尚且如此，有着眼睛、鼻子、耳朵、大脑和手脚的人，更是有无数种用途，并且任何一种用途都足以使我们生存下去。我原来是个电车司机，后来失业了。现在，你看，我是一位皮货商。”

普热罗夫后来又采访了一些圣·贝纳特学校毕业的学生，发现他们无论贵贱，都有一份职业，并且非常乐观，他们都能说出铅笔至少 20 种用途。

普热罗夫再也按捺不住这份调查给他带来的兴奋。调查一结束，他就放弃了留在美国的想法，匆匆赶回国内。

后来，他是捷克最大的一家网络公司的总裁。2000 年圣诞之夜，他通过 E-mail 给纽约市政厅发了一份调研报告：《醒着的世界及它的休眠状态》，算是对前任市长的报答。

酷评

发挥自己的潜能

世上每个人都是不同的个体，而在每个人的身上也都蕴藏着一份特殊的才能，那份才能有如一位熟睡的巨人，等着我们去唤醒，而这个巨人就是潜能。

潜能是人类最大而又开发得最少的宝藏！无数事实和许多专家的研究成果告诉我们：每个人身上都有巨大的潜能还没有开发出来。上天绝不会亏待任何一个人，上天会给我们每个人无穷无尽的机会去充分发挥所长。

只要我们能将潜能发挥得当，我们也能成为爱因斯坦，也能成为爱迪生。无论别人对我们评价如何，无论我们年纪有多大，无论我们面前有多大阻力，只要我们相信自己，相信自己的潜能，我们就能有所成就。

事实上，世界本来属于我们，我们只要抹去身上的灰尘，无限的潜能就会像原子反应堆里的原子那样充分发挥出来，我们就一定会有所作为，创造奇迹。

相信你自己，相信你的潜力，超过你的同事、超越你的理想，这些并非是虚幻的信念。

故事 23

无价的石头

从前，有一个孤儿，生活无依无靠，既没田地可以耕种，也没有钱可用来经商。因此，他十分迷惘，整天过着流浪与乞讨的日子，没有人看得起他。

有一天，他觉得再也不能这样生活下去了，便去拜见一位高僧，向他求教。

高僧把他带到一处杂草丛生的乱石旁，指着一块石头说：“明天早晨，你把它拿到集市上卖。但要记住，无论多少人出多少钱要买这块石头，你都不要卖。”

孤儿满腹狐疑，心想：这块石头虽然不错，但怎么会有人肯花钱买呢？他抱着石头来到集市，在一个不起眼儿的地方蹲下来叫卖石头。

第一天过去了，第二天又过去了，根本无人问津。直到第三天，才有人来询问。第四天，真的有人想要买这块石头了。第五天，那块石头已经能卖到一个很好的价钱了。

孤儿回到寺庙里，兴奋地向高僧报告："想不到一块石头值那么多钱。"

高僧笑笑说："明天你拿到黄金市场去，记住，无论人家出多少钱都不能卖。"

孤儿又把石头拿到黄金市场去，一天、两天很快过去了。第三天，又有人围过来问。几天以后，问价的人越来越多，价格也已被抬得高出了黄金的价格，而孤儿依然不卖。但是越是这样，人们的好奇心就越大，石头的价格也就被抬得越高。

孤儿又去找高僧，高僧说："你再把石头拿到珠宝市场去卖，记住，无论别人出多少钱你都不能卖。”

孤儿把石头拿到珠宝市场，又出现了同样的情况，到了最后，石头的价格已被炒得比珠宝的价格还要高了。由于孤儿无论如何都不卖，这块石头被传扬为“稀世珍宝”。

对此，孤儿大惑不解，去请教高僧。

高僧缓缓说道：“世上人与物皆如此，如果你认定自己是块陋石，那么你可能永远只是一块陋石；如果你坚信自己是一个无价的宝石，那么你就是无价的宝石。”

酷评

你决定自己的价值

即使只是一块不起眼的石头，自己珍惜的话，也能体现出犹如珍宝般的价值。人，就像这块石头一样，只要自己看重自己、热爱自己，生命就有意义。

这块石头告诉我们：

第一，人的价值是由自己决定的。你可以是黄金，可以是珠宝，也可以只是一块石头。而这一切，完完全全取决于你自己的选择。

第二，每个人的命运都是由自己掌握的。你可以设计自己、改变自己，并且不断根据出现的新情况来调整自己，然后按照自己的计划，成为自己想成为的样子。

第三，人要有自信。从高僧所揭示的世象上说，一个人一生成就的有与无、大与小，其实都是与他的自信成正比的。自信是取得成功不可或缺的因素，是一笔最重要的人生财富。穷人最缺少的是什么？穷人最缺少的就是成为富人的野心。如果穷人觉得自己只能是穷人，那他就不可能发财，只能一辈子做穷人；而如果他敢想敢做敢闯，那么他就有可能变成富人。

第四，不要为小小的成功而沾沾自喜。心中要有一个远大的理想，知道自己的远景和愿景，溪涧岂能留得住，终归大海作波涛。

第五，对自己要有耐心。自信是自己对做成某件事情的信心，但从认为自己能成功到真正成功，其间是有一个过程的，甚至是一个非常漫长的过程。在这时，坚持下去最为关键。而坚持的实质，就是自信心的不动摇。

一个人要坚持始终不动摇的信念，是很难的。正因为难，所以能坚持到底就特别难能可贵，所取得的成就也就非一般人可比。当然，这里有个前提，那就是身体、心理和智商等各方面条件都要大致差不多。否则的话，一个人的自信超出了自己的智力和才能所能达到的范围，那就成了一种不知天高地厚的莽撞和盲目的自负了。

不要幻想一蹴而就。今天不行，不等于明天不行，更不等于永远不行。同样，这里不行，不等于那里不行，更不等于到处不行。要肯定今天的价值，更要耐心等待自己的成长，永远保持一份自信。只有这样，才会拥有一个灿烂的明天。

名人名言

一个自信的人只会勇往直前。

——杜伽尔

只有满怀自信的人，才能在任何地方都怀有自信沉浸在生活中，并实现自己的意志。

——高尔基

自信是一种感觉，有了这种感觉，人们才能怀着坚定的信心和希望，开始伟大而又光荣的事业。

——西塞罗

自信是成功的第一秘诀。

——爱默生

我的胜利说明，黄皮肤的运动员能够像那些黑人和白人跑得一样快。

——刘翔

自信是英雄主义的本质。

——爱默生

先相信你自己，然后别人才会相信你。

——屠格涅夫

自信心和自尊性相辅相成，没有自尊心的人，他决不会有自信心。

——毛姆

只有信任自己的人，才有能力相信别人。

——弗洛姆

只要你自己相信自己，就会得到别人的信仰。

——歌德

一个确信自己掌握了真相的人，是不会在乎别人的反对和认可的。

——欧文·斯通

我们必须有恒心，尤其要有自信力！我们必须相信我们的天赋要用来做某种事情的，无论代价多么大，这种事情必须做到。

——居里夫人

那些即使遇到了机会，还不敢自信必能成功的人，只能得到失败。

——叔本华

只有当人打算成为他所打算成为的东西的时候，他才是获得了存在。

——萨特

相信自己是有才华的人，才对人类最有益。

——卡耐基

我们要以信心充实自己，就像我们每天以万物充实自己一样。

——马尔兹

自信是一种吸引力，只有当一个人有自信的时候，他才会成为别人注意的焦点。当一个人有自信的时候，别人会放弃了他们那游移不定的意见来附和他。

——罗曼·罗兰

地位越高，自我评价就越高；自信心有多强，能力就有多强。

——赫兹里特

你如何看待自己，远比他人如何看待你重要得多。

——塞涅卡

如果你认为此事办不成，那么工作起来时本来能办得到的事，结果也就办不成；相反，本来没有渴望的事，如果你认为一定能办成，那么事情就能办成。

——德田虎雄

信心即是相信我们未见的事物，其报酬是让我们看见所相信的事物。

——奥古斯丁

自信是走向成功的第一步，缺乏自信是失败的重要原因。

——莎士比亚

动摇一个人的自信心是容易的，十分容易的。以此来摧毁人的精神是魔鬼的勾当。

——萧伯纳

信心是家中隐藏着的资本。

——歌德

信心是灵魂的防腐剂。

——惠特曼

对于凌驾于命运之上的人来说，信心是命运的主宰。

——海伦·凯特

有了信心，你就会在严肃的献身生活中找到乐趣。

——泰戈尔

信心使一个人得以征服他相信可以征服的东西。

——萧伯纳

卓越的艺术成就只有用眼泪才能取得。谁不备受折磨，谁就不会有信心。

——安格尔

下一回你被某项工作吓住时，不妨昂然地向它走去，完成那不可能的工作。这是办得到的：只要你对自己有无比的信心，你就办得到。

——卡耐基

有信心的人，可以化渺小为伟大，化平庸为神奇。

——萧伯纳

如果没有自信心的话，你永远也不会有快乐。

——拉罗什富科

我们必须对生活有抱有信心，然后才能使生活延续下去。而所谓信心，就是希望。

——郎之万

“不可能”只有在愚人的字典里才可以翻出。

——拿破仑

切莫垂头丧气，即使失去了一切，你还握有未来。

——王尔德

我们对自己抱有的信心，将使别人对我们萌生信心的萌芽。

——拉罗什富科

发明家全靠一股了不起的信心支持，才有勇气在不可知的天地中前进。

——巴尔扎克

5.

成功证明一切

☞ 没有人为你的贫穷负责，却有人为你的富有喝彩！

☞ 我们在这个世界上追求什么呢？我们追求真善美，我们稳步走向真善美。我们求真、向善、爱美。

☞ 如果能够平平安安地生活着，没有丝毫波澜，也未必不是件好事。但也确实有人想通过磨难来锻炼自己。因为只有经历过风雨，才能见到绚烂的彩虹。

☞ 不是你选择了历史，而是历史选择了你。一旦当你认识到这一点，就应该有一种“我不入地狱，谁入地狱”的魄力和决心。既要有道德担当，也要有终极关怀。

故事 24

成功并不像你想象的那么难

1965 年，一位韩国学生到英国剑桥大学主修心理学。

在喝下午茶的时候，他常到学校的咖啡厅或茶座听一些成功人士聊天。这些成功人士包括诺贝尔奖获得者、某些领域的学术权威，以及一些创造了经济神话的人。这些人幽默风趣，举重若轻，把自己的成功都看得非常自然和顺理成章。

时间长了，他发现在国内时，被一些成

功人士欺骗了。那些人为了让正在创业的人知难而退，普遍把自己的创业艰辛夸大了。也就是说，他们在有意无意之间，用自己的成功经历，来吓唬那些还没有取得成功的人。

作为心理系的学生，他认为很有必要对韩国成功人士的心态加以研究。1970年，他把《成功并不像你想象的那么难》作为毕业论文，提交给现代经济心理学的创始人威尔·布雷登教授。

布雷登教授读后大为惊喜，认为这是一个新发现，这种现象虽然在东方甚至在世界各地普遍存在，但此前还没有一个人大胆地提出来并加以研究。惊喜之余，他写信给他的剑桥校友——当时正坐在韩国政坛第一把交椅上的人——朴正熙。他在信中说："我不敢说这部著作对你有多大的帮助，但我敢肯定它比你的任何一个政令都能产生震动。"

后来，这本书果然伴随着韩国的经济起飞了。这本书鼓舞了许多人，因为它从一个新的角度告诉人们，成功与"劳其筋骨，饿其体肤”“三更灯火五更鸡”“头悬梁，锥刺股”没有必然的联系。只要你对某一事业感兴趣，长久地坚持下去，你就会成功，因为上帝赋予你的时间和智慧，足够你圆满地做完一件事情。

后来，这位青年也获得了成功，他成了韩国泛亚汽车公司的总裁。

酷评

成功很难，成功很容易

这个故事告诉我们：人世中的许多事，只要想做，都能做到，该克服的困难，也都能克服，用不着什么钢铁般的意志，更用不着什么技巧或谋略。你终究会发现，造物主对世事的安排，都是水到渠成的。

中国有句古话：“书到用时方恨少，事非经过不知难。”事实上，这是一个信仰问题：并不是因为事情难我们不敢做，而是因为我们不敢做事情才难的。

一方面，成功很困难。比如你要开车去

某地，你需要的成功的要素有很多。比如，你要有一辆性能相对完好的车，车里有足够的汽油，车要有牌照和完税证明，车容车貌不至于差到让警察拦下。此外，天气不是太坏，道路不能封闭，路况不能太糟糕，路上不能出车祸。当然，你还要有开车的技术和有效期内的驾照……只要有一个因素出问题，你就无法准时到达目的地。所以，你要对每一个要素考虑周全，尽管其中有许多要素不在你的控制之内。

一方面，成功又很容易。敢想敢做，重视每一个细节，一步一步接近目的地，你就有可能成功。但是，如果你想到有那么多要素，包括一些不可知要素，就打起退堂鼓，那么，你永远到达不了终点。

所以，马克思的名言是："在科学上没有平坦的大道，只有那些不畏艰险沿着陡峭山路攀登的人，才有希望到达光辉的顶点。"请注意，攀登的人只是"有希望"；而不攀登的人，连希望都没有。

科学是如此，人生又何尝不是这样？

故事 25

为什么南极大陆只有企鹅

据说，在远古时代，南极大陆水草丰美、水生动物种类和数量繁多，是鸟类理想的栖息地。那里，居住着各种各样的鸟，它们的飞行和捕食能力也都差不多。

幸福的日子再长，也总是嫌短。渐渐地，气候发生了变化：天气越来越寒冷，冬天越来越漫长，寒夜也越来越难熬。更要命的是，由于寒冷，水生动物的数量也急剧减少……

鸟儿们开始考虑迁徙，纷纷练习飞行，作着迁往别处的准备。老鹰，作为南极大陆的第一个航班，已经飞得很高很远了；天鹅、燕子、海鸥、鸽子也以极强的加速度飞上了蓝天，接着，山鸡、野鸭、孔雀、鹦鹉、啄木鸟、夜莺也纷纷向北飞去，就连八哥和金丝雀也开始动身。

就在这些鸟类以各自不同的命运和方式在不同的地点开始新生活的时候，南极大陆只剩下了企鹅。

企鹅心想，既然它们都已经走了，现在这里只有我，这点小鱼小虾也够我吃的了。于是，它的翅膀开始退化，身材也越来越肥胖，逐渐变成现在这个样子。

酷评

成功是有代价的

其实，做一只搏击长空的雄鹰还是安于现状的企鹅，完全取决于个人选择，取决于各自对幸福的理解。

成功，包含太多的要素：追求完美、辛勤工作、向失败学习、矢志不渝、坚持不

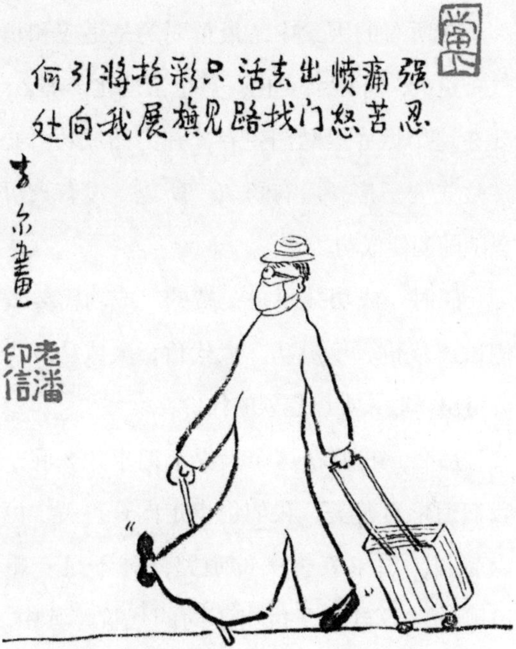
强忍痛苦愤怒出门去找活路只见彩旗招展将我引向何处

懈……成功，是这些因素综合的结果。这些因素，缺一不可。并且，只要其中有一个因素没有到位，或者说，没有充分发挥，就没有成功。

在所有的因素中，最重要的是适应和勇气。是的，环境会变化，甚至会恶化，那么，要在这个世界里勉图生存，并力图成功，必然是先要适应，后有勇气。所以，没有人可以随随便便成功。

同时，成功并不是免费的，成功需要人们付出代价。小成功，大代价；大成功，需要付出一般人难以想象的代价。

那么，我们在这个世界上追求什么呢？我们追求真善美，我们稳步走向真善美。可以想见，追求真善美的道路，并不是一帆风顺的，各自需要付出不同的代价。其中，“真”的代表是科学，在追求科学——求真——的道路上，所需要的代价，是我们人人可以承受的。

我们求真、向善、爱美。

故事 26

唯一可以依靠的就是你们

1860 年，林肯作为美国共和党候选人参加总统竞选，他的对手是大富翁道格拉斯。

道格拉斯租用了一辆豪华富丽的竞选列车，车后安放了一尊大炮，每到一站，就鸣炮 30 响，加上乐队奏乐，声势之大，史无前例。为此，道格拉斯得意洋洋地说："我要让林肯这个乡巴佬闻闻我的贵族气味。"

林肯面对此情此景，一点也不惧怕，他照样买票乘车，每到一站，就登上朋友们为他准备的耕田用的马车，发表这样的竞选演说：

“有人写信问我有多少财产。我有一个妻子和三个儿子，他们都是无价之宝。此外，还租有一个办公室，室内有办公桌子一张、椅子三把，墙角还有一个大书架，架上的书倒是值得每个人一读。我本人既穷又瘦，脸蛋很长，没有发福。我实在没有什么可以依靠的，唯一可依靠的就是你们。”

选举结果大出道格拉斯所料，竟然是林肯获胜，被选为美国总统。

酷评

一生何求

真诚能够感人，林肯可谓“精诚所至，金石为开”。

一个人如何才能成就一番伟业呢？让我们来看看林肯的简历吧！

1809年，出生在寂静荒野上一座孤独的小木屋里。

1818年，9岁，年仅34岁的母亲不幸

去世。

1827年，18岁，自己制作了一艘摆渡船。

1831年，22岁，经商失败。

1832年，23岁，竞选州议员，但落选；想进法学院学法律，但进不去。

1834年，25岁，再次竞选州议员，竟然赢了。

1835年，26岁，订婚后即将结婚时，未婚妻死了，因此心也碎了。

1836年，27岁，精神完全崩溃，卧病在床6个月。

1840年，31岁，争取成为被选举人，但落选。

1843年，34岁，参加国会大选，又落选。

1846年，37岁，再次参加国会大选，这次当选了。

1854年，45岁，竞选参议员，落选。

1858年，49岁，再度竞选参议员，再度落选。

1860年，51岁，当选美国总统。

林肯对自己的评价是：虽然心碎，但依然火热；虽然痛苦，但依然镇定；虽然崩溃，但依然自信。因为我坚信，对付屡战屡败的最好办法，就是屡败屡战、永不放弃。

故事27

浪子悔罪

从前有一个人，他有两个儿子。小儿子对父亲说："请把我的一份财产分给我吧。"父亲便给了他那份财产。然后，小儿子便带着所得的一切到远方去了。

他在那里吃喝嫖赌，任意放荡，很快就耗尽了财产。那地方又遇到了大饥荒，身无分文的小儿子只好给人干活，到地里去放猪。即使他有时饿得恨不得拿喂猪的豆荚充饥，也没有人给他点吃的东西。

这时候，他想起了家中的父亲，说："我

父亲有多少雇工啊，口粮也有富余。我在这里只能饿死了。我要回家去向他悔罪，对他说：‘我得罪了天，又得罪了你，从今以后我不配做你的儿子，你把我当作一个雇工吧。’”

于是，小儿子便动身回家。还没到家门口，他父亲就远远看见了。他激动地迎着儿子跑过去，搂着孩子的脖子，连连吻他。儿子向父亲悔罪，父亲便让人拿上好的袍子给他换上，把戒指给他戴上，把鞋给他穿上，把牛犊牵来宰了，把朋友邻居都请来吃喝玩乐，以此来迎接儿子的回来。

父亲高兴地对亲朋好友说：“我这儿子是死而复活，失而复得。”大家都为他感到快乐。

正在这时候，大儿子从地里回来，听见酒宴的音乐声，便问仆人怎么回事。仆人回答：“你的弟弟回家来了，你父亲因为他无灾无病，所以很开心，便让人宰牛请客，要庆贺一番呢！”

大儿子一听，很生气，连门也不愿意进

了。他父亲知道后，就出来劝他。大儿子对父亲说："我在家服侍你那么多年，我从未违背过你的命令，你倒从未给我哪怕一只山羊羔，让我能与朋友们吃喝。可你这个小儿子耗尽了你的一份家业，他一回来，你倒为他宰了肥牛犊！"

父亲便说："儿啊！你常和我在一起，我一切所有的，不都是你的么？只是你这兄弟，是死而复活，失而复得，所以我们才应该欢喜快乐呀！"

酷评

经历风雨，才能见彩虹

一个人经历过磨难，才会倍加珍惜自己的生活，哪怕仅仅是平淡如水的生活。如果能够平平安安地生活着，没有丝毫波澜，也未必不是件好事。但也确实有人想通过磨难来锻炼自己。因为只有经历过风雨，才能见到绚烂的彩虹。正如一个学步的孩子，只有不断地经历跌倒、爬起，再跌倒、再爬起的

人生成败得失其实不值
一提你说你很成功
究竟表现哪里
不是钱有多少
不是宝车华丽
不是房子多大
不是事业牛气
不是美女如云左拥右
抱随意不是呼风唤雨走哪哪都牛逼
老潘印信

过程，才能蹒跚着迈出人生的第一步。

事实上，谁也逃不过困境与磨难，没有一个人的一生是能够真正一帆风顺的。那么，当磨难来临时，我们要学会坦然接受。

沈从文在“文革”期间，遭受了非人的磨难。可即便身处这样的环境，他在给画家黄永玉的信中依然写道：“这里的荷花真好，你若来……”他是在为荷花的盛开而欣喜！这是种何等超脱的境界啊！真正能够左右人的困苦与快乐的，是自己的心态。

生活不会轻易地善待任何人，也不会故意亏待任何人，付出的一切总会得到回报。我们应该乐于将自己当作人生经历的收藏家，当作人生经历的体验者，这样，任何的生活都会是甜美的。

良药苦口利于病，咖啡味苦可提神，而如果你能细细品尝平淡无味的水，也能品出一丝甘甜来。

故事 28

魏伯阳试徒

东汉时，有一个方士叫魏伯阳，出身于名门望族，喜欢道术，尤其以炼丹著称，自号云牙子。

他带着三名徒弟进入深山炼丹，有只小白狗尾随着他们，寸步不离。师徒四人带着那只小白狗，长年隐居山中。

有一天，风和日丽，魏伯阳炼丹初成，他想试试弟子们的信心和诚意，就把他们全都召进炼丹房，郑重地说："现在金丹已炼成了，到底成功还是失败我也没有把握。可以先给狗吃，看它能否升天。狗真的升天了，我们再吃。若是死了，我也不敢吃。”

魏伯阳就让狗先把丹药服下，谁知狗立即就死了。

他故作伤心地说：“真是不幸，我们的丹药没炼成，说明没有符合神明的旨意。我违背世情，专心求仙却没有结果，也不愿再活在世上了。生和死本来也没有什么分别，就让我来试试这丹药吧！”说完，便从炉中取出金丹，吞下一粒，也立即倒地而死。

大弟子虞生心中思忖，师父不是普通人，吃了金丹就死了，恐怕另有深意，还是服了的好。于是，他也拿起一粒金丹，径自吞下，随即也倒在地上死了。

丹房之中，其他两位弟子眼见小白狗、师父和师兄都纷纷倒地而死，就商量说：“炼丹的目的是为了长生，现在服了金丹反而早死，还不如不服，还可在世间多活几十年。”

于是，两人相携下山，为师父和师兄购置棺木，准备后事。

两人走后，魏伯阳立即爬了起来，将金丹放在死去的弟子和小白狗嘴里，一会儿他们就全都活了。于是，魏伯阳就带着虞生和小白狗离开了丹房，准备登仙而去。

魏伯阳碰巧遇见一个樵夫，便修书一封，让樵夫带下山去，交给两个弟子，感谢他俩对师父的一片孝心。

两位弟子看过师父的书信，方才明白一切，知道由于自己信心不足，一念之差，白白错过了修道成仙的良机。然而，此时无论他们多么追悔莫及，也于事无补了。

酷评

要有一点长官意识

成功必须通过一定的考验，虞生通过了考验，因此成仙是他应得的奖赏；另外两个弟子没有通过考验，因此痛失了一次良机，并且可能终其一生，很难再次得到这样的机会了。

这两个弟子看似不走运，其实他们的失

方尔画
老潘印信

败是早就注定了的。师父是得道高人，在这个圈子里，他是最一流的专家，不相信他还能相信谁？可惜，这两个弟子就是不能参透其中的玄机。

生活中也是一样，我们说必须要有长官意识，必须要信服领导。

作为一个员工，在执行长官交与的任务过程中，一旦遇到任何问题，无论大小，都应该及时上报、反映。只要做到了这一点，那么你的职责也就完成了，其他的交给你的长官决定就可以了。如果工作中产生纰漏和失误，首先应该检查自己的执行过程。如果确认执行过程没有差错，那么一切将由你的长官负责。相信你的长官的判断力，其实有些问题不是你这个做下级的需要思考的，而是你的上级甚至最高级领导思考的，只是你并不知道罢了。

故事 29

王羲之经书换白鹅

书法大师王羲之好道，常与一些得道高人谈仙论道，畅游名山大川，日子过得逍遥快活。

山阴（治今浙江绍兴市）玉皇观有一个道士，非常喜欢王羲之的书法，做梦都想得到王羲之亲笔书写的经文。但是，一个普通的道士，怎么可能有机会与门第显赫的王羲之见面呢？更别说求字了。

一个偶然的机会，道士得知王羲之非常喜欢白鹅，欣赏它们飘逸的身姿，从中领悟书法的自然之道。于是就特地养了一群十分逗人喜爱的白鹅，期待王羲之有一天能够在此停留。

这天，王羲之游山阴，坐船经过道士所在的玉皇观，看见小河里游动着一群白鹅，羽翼丰满，憨态可掬，只觉得心中有说不出的爱怜。他怕行船把白鹅吓跑了，便叫船停下，目不转睛地欣赏着白鹅在水里游玩。

王羲之就这样看了很久，忽然心中一动，想不如买下这群鹅，便叫随从立即上岸打听鹅群的主人。随从便到玉皇观找到了这位道士，说明了主人的心意。

道士一听，正中下怀，好不开心，可是表面上却故意装出满不在乎的样子说："我的鹅是不卖的，如果王大人一定要买，就请他写一本经来换。"

随从立即回去向王羲之如实禀报。

王羲之听到这个交换条件，不觉笑了。他欣然同意，弃船上岸向玉皇观走去。这时道士早已准备好笔墨纸砚，只待他大笔一

有言此物非彼物画鹅如人
意境岂画意无穷心手应
画笔如梦难描绘

挥了。不到半天工夫，王羲之就写好了一本《道德经》。

道士把那群鹅装在一个大笼子里，让王羲之随船带走了，自己则得到了书圣王羲之亲笔书写的《道德经》。他对这本经帖爱不释手，日夜观摩，日后不仅道行大有长进，书法也达到了一定的境界。

酷评

盘活资源，各取所需

历史造就了王羲之，也造就了这位道士。

“踏破铁鞋无觅处，得来全不费工夫。”其实，这个故事有许多的机缘巧合存在。比如最初道士就是在偶然的情况下掌握了王羲之爱鹅的信息，于是他开始饲养白鹅。但是这时，他并不能确定王羲之究竟会不会邂逅这群鹅。而王羲之开口要买鹅的时候，道士施了一招欲擒故纵，但是假如王羲之不中计呢？假如他生气拂袖而去，道士不就前功尽弃了吗？所以，成功是需要努力和运气双重保障的。

其实，道士只知道王羲之喜欢白鹅，但却不知道他爱鹅的实质是为了钻研书法技艺。不过，有的事情并不需要追根究底，我们每个人都只要了解需要的一部分知识就足够了。

对王羲之而言，这笔交易中他也没吃亏。不仅免费得到了一群可爱的白鹅，而且还为道家文化做出了一定的贡献。他所抄写的这部《道德经》也能让更多的拥护者一睹大师风采，对书法事业的发展也有好处。

与其让宝贵的资源闲置，还不如进行交换，各取所需，也许对你而言平庸的东西正是他人重视的珍宝。

故事30

张良得兵书

传说有一天，张良在下邳桥上散步时碰见了一位老人。

那老人穿着粗布短衣，身材颀长略微弯曲，一副老态龙钟的样子。他蹒跚地走到张良的面前，故意把鞋子掉到桥下，看着张良说：“小子，下去拾鞋！”

张良一愣，并没有理他。可是，那老者瞪着张良又说：“怎么，你的耳朵聋了吗？”

张良心中顿时窜起一股无名火，正想发作。可转念一想，跟一个老头子斤斤计较又有什么出息呢？看在他一把年纪的分上，还是算了吧。于是，他耐着性子到桥底下把鞋取了来。哪知老人又把脚一伸，命令似的说：“给我穿上！”

张良想既然已经替他取了鞋，不如帮忙帮到底，穿就穿吧。于是就跪下去，恭恭敬敬地为他穿好。老人穿上鞋子后，就笑着离开了。张良心下疑惑，却也想不透这里面的意思，只是目送着老人渐渐远去。

谁知那老人又慢慢地转过身向他走来，对站在桥上的张良说：“你这个孩子倒是块好料，可以教导。五天后天一亮，在这里和我会面。”张良更加惊奇，马上点头答应。

五天后，天刚麻麻亮，张良就到桥上去了，谁知老人已经先到了。老人恼火地说：“你这个孩子，这么贪睡，跟老年人约会却迟到，这是不行的啊！”说完转身就走，并说：“过五天早点在这里等我。”

又过了五天，张良特地起了个早，鸡一叫，就朝桥上走去。朦朦胧胧看见一个人影站在那里，张良心想："莫不是那老人又早到了?"待走近看时，果然如此。老人这回又生气地说："跟我约好的，怎么又迟到了?"

说罢转身离去，丢下一句同样的话："过五天你再早点来。"

又过了五天，张良半夜不到就到桥上去了。一会儿，老人也来了，高兴地说："就该这样做啊!"

老人一边说，一边从怀里取出一卷书，说："读了这本书，悟透了里面的奥妙，就可以做帝王之师了，十年后应验。"

张良跪下，双手捧接。待再抬头看时，那老人背也不驼了，步子也不蹒跚了，须髯飘飘，神采飞扬，双目炯炯有神。张良心里一震，刚想说什么，老人已飘然远去……

回到住处，张良郑重地打开严严实实的包装丝绢，原来是本《太公兵法》。后来他刻苦研习这本书，十年后为刘邦出谋划策，得到了天下。汉高祖六年（前201），张良虽没有战功，却因为运筹帷幄被封为留侯。

我们每分钟都在书写历史

《孟子·告子下》里有这么一段话："故天将降大任于斯人也，必先苦其心志，劳其筋骨，饿其体肤，空乏其身，行拂乱其所为，所以动心忍性，增益其所不能。"也就是说，一个人在成就一番事业之前，必须要通过种种的考验。"宝剑锋从磨砺出，梅花香自苦寒来。"张良也是如此，那个老头一次一次的刁难，其实都是在试探他具不具备成功的潜质，捡鞋穿鞋试探的是他的谦虚与隐忍，三次约会试探的是他的守时与气度。所谓成功的各项要素，缺一不可。

我们每一个人都应该像张良一样，要有使命感，随时准备肩负起天下的兴亡。要知道我们每分钟都在书写历史，明天的历史正是由今天的决定造就的。只有有责任感的人才能获得考验的机会，完成自己的宏伟志愿。

不是你选择了历史，而是历史选择了你。一旦当你认识到这一点，就应该有一种"我不入地狱，谁入地狱”的魄力和决心。既要有道德担当，也要有终极关怀。当你明白自己手中所掌握的就是历史的时候，个人的荣辱安危又算得了什么呢？

故事 31

一次成功就够了

5 岁时，他父亲去世了。

14 岁时，他从学校辍学，开始了流浪的生活。

16 岁时，他谎报了年龄参军而处处不顺心。

18 岁时，娶的老婆逃走了。

他还通过函授学习法律，可又放弃了。

后来，他卖过保险，卖过轮船，还经营过一条渡船，开过一家加油站，但都失败了。

人到中年，他成了一家餐馆的主厨和洗

瓶工。可因政府修公路而拆了那家餐馆，他又失业了。

65 岁时，邮递员送来了他的第一份社会保险支票。他用这 105 美元保险金，创办了自己的一份崭新的事业。

88 岁高龄时，他的事业终于大获成功。

他，就是肯德基的创始人——哈伦德·山德士！

酷评

成功永远不会太迟

一个人编织梦想，学习新知识，甚至改变生活形态，永远都不嫌太迟。

肯德基如今已经遍布全球，而其创始人哈伦德·山德士在 88 岁时才获得成功。

生活不会亏待任何人，任何人作的任何努力都会得到回报。英语有句谚语："It's never too late to learn."中国也有："活到老，学到老。"有些人从小品学兼优，有些人大器晚成。一个人在 65 岁还能有创业的激情，这是一个人的希望，也是一个民族的希望。

同样，另一位美国老人卡尔在 64 岁时决定改行。他由原来非常成功的租车业转行当顾问。他的目标是将他的服务卖给 10 位顾客。1983 年 3 月时，卡尔就达到这个目标了。

如今他发行了一份月报，辅导 1 200 位订户。他每年平均在全国各地的研讨会演讲一百次。卡尔目前已经 75 岁了。

编织梦想，学习新知识，改变生活形态永远不嫌迟。人们永远可以编出各种理由——太老、太年轻，或者性别、年龄不对。的确，开创生活虽然不是很容易，但却能带给你无穷的回报。

时光无法停止，但是我们可以停止消极悲观的思想，立即开始运用自己的知识，开始我们的追寻。没有人为你的贫穷负责，却有人为你的富有喝彩！

名人名言

古今之成大事业、大学问者，必经过三种境界："昨夜西风凋碧树，独上高楼，望尽天涯路"，此第一境也；"衣带渐宽终不悔，为伊消得人憔悴"，此第二境也；"众里寻他千百度，蓦然回首，那人却在灯火阑珊处"，此第三境也。

——王国维

如果在自己非常想要做的事情上未能成功，不要立刻放弃并接受失败，试试别的方法。

——卡耐基

成功的法则应该是放松而不是紧张。放弃你的责任感，放松你的紧张感，把你的命运交付给更高的力量，真正对命运的结果处之泰然。

——马克斯威尔

我需要与之斗争的就是我的成功。如果展现在我面前的路是一马平川，那简直是怪事，实际上是一条崎岖险峻的羊肠小道。

——梭罗

一个人失败的最大原因，就是对于自己的能力永远不敢充分信任，甚至自己认为必将失败无疑。

——富兰克林

如果在一个想让你哭的人面前流泪，那就是失败。越是在这种时候，越是要笑，顽强地度过人生。

——三浦绫子

如果你问一个善于溜冰的人怎样获得成功时，他会告诉你：“跌倒了，爬起来。”这就是成功。

——牛顿

什么是成功的秘诀，很简单，无论何时，不管怎样，我也决不允许自己有一点点灰心丧气。

——爱迪生

最成功的人往往就是敢冒大险的人。

——斯威夫特

成功不在于有无天资，而在于有无理想。

——德田虎雄

成功的秘诀，在于永不改变既定的目标。

——卢梭

天下绝无不热烈勇敢地追求成功而能取

得成功的人。

——拿破仑

成功的秘诀，是在养成迅速去做的习惯，要趁着潮水涨得最高的一刹那，不但没有阻力，而且能帮助你迅速成功。

——劳伦斯

最困难之时，是我们离成功不远之日。

——凯撒

只要把抱怨环境的心情化为上进的力量，才是成功的保证。

——罗曼·罗兰

勤奋工作，诚恳待人是迈向成功的唯一途径，这与没有尝试过辛苦而获得成功的滋味迥然不同。不下功夫，却能成功，根本是不可能的事情。

——松下幸之助

可以说成功要靠三件事才能赢得：努力、努力、再努力。

——哈代

我成功是因为我有决心，从不踌躇。

——拿破仑

有所成就是人生唯一的乐趣。

——爱迪生

只有耐心圆满完成简单工作的人，才能够轻而易举地完成困难的事。

——席勒

在成功面前，首先想到的是获得成功之前的挫折和教训，而不是成功的赞扬和荣誉。

——巴甫洛夫

在这个世界上，取得成功的人是那些努

力寻找他们想要的机会的人，如果找不到机会，他们就去创造机会。

——萧伯纳

最有希望的成功者，并不是才干出众的人，而是那些最善于利用每一个时机去发掘开拓的人。

——苏格拉底

成功不在于闹街上的喧嚣，也不在于人群中的欢呼与喝彩，而在于我们自己。

——朗费罗

在我年轻时，我所做的事，十中有九都是失败的，为了不甘于失败，我便十倍努力于工作。

——萧伯纳

最容易通向惨败之路的莫过于模仿以往

英雄们的计划，把它用于新的情况之中。

——丘吉尔

许多赛跑的人，都是失败在最后几步。

——苏格拉底

无数人的失败，都是失败于做事情不彻底，往往做到离成功只差一步就停下来。

——莎士比亚

失败是愚者的结论。

——巴尔扎克

失败是迈向新灿烂幻想之路的起步。

——开普勒

明智的人决不坐下来为失败哀号，他们一定乐观地寻找办法来加以挽救。

——莎士比亚

当失败不可避免时，失败也是伟大的。

——惠特曼

错误经不起失败，而真理却不怕失败。

——泰戈尔

灰心生失望，失望生动摇，动摇生失败。

——培根

成功者与失败者之间区别，常在于成功者能由错误中获益，并以不同的方式再尝试。

——卡耐基

一个人的成就是以多年失败为代价而取得的。

——弗莱明

失败也是我需要的，它和成功对我一样有价值。

——爱迪生

人的眼睛，在失败的时候，方才睁了开来。

——契诃夫

从失败中培养成功。障碍和失败，是通往成功的两块最稳靠的踏脚石。

——卡耐基

6.

幸福就是感觉

☞ 2001 年圣诞节，一封来自沙特公主的电子邮件透露了实情。弗兰西斯给她们讲了其中的原因，并告诉她们：在这个世界上，只有真正快乐的男人，才能带给女人真正的快乐。

☞ 美国是一块很好的试金石。在那里，检验你的有三件东西，分别是：你的恋爱对象，你的信贷员，还有就是美国本身。

☞ 一念天堂，一念地狱。世界上没有绝对的天堂，也没有绝对的地狱，天堂与地狱是可以相互转换的。天堂与地狱可以在我们的一念之间。人间就是天堂，人间就是地狱。

☞ 云门文偃禅师的回答却很质朴："春有百花秋有月，夏有凉风冬有雪。若无闲事挂心头，便是人间好时节。"

故事 32

幸福是什么？

小狗和狗妈妈每天晚上都要去散步。别的狗妈妈和他的妈妈聊天时，总是免不了夸奖他的妈妈不愁吃住，儿孙满堂，过得真幸福。

小狗不明白，便问他的妈妈："妈妈，妈妈，你能告诉我幸福是什么吗？"

狗妈妈说："你能想到这个问题，妈妈很高兴。幸福啊，就是你的尾巴尖。"

于是，小狗每天都在原地打转儿，试图咬到它的尾巴尖。这样，就可以像他的妈妈

梦想路
糊涂巷
加油站
回乡路

一样幸福了。可无论它怎么努力，还是不能成功。

小狗很沮丧，愁眉苦脸地又去问他的妈妈："妈妈，为什么我的幸福总是跑得比我快呢?"

狗妈妈舔了舔小狗说："宝贝，你只要抬起头往前走，幸福就会一直跟着你。"

酷评

幸福就在不远处

有位哲人说过："生活从不缺少美，而是缺少发现，缺少洞察和彻悟琐事的眼光。"

也许幸福就在周围，可是路在我们脚下。是原地打转、停滞不前，还是直视前方、昂首阔步？这取决于我们是否有敏锐的洞察力和果断的决策力。过去的一切，我们不必去惦念；现在的一切，我们要好好把握；向往的一切，我们需努力争取。当心中的那个谜已经透明彻底时，就可以不在乎以往的过失，只要沿着既定的方向，就能找到幸福。因此，不放弃理想和追求，认定自己的目标，幸福就会尾随我们，帮助我们摘取彼岸那绚烂之花。

小狗和狗妈妈的生活是恬淡的，但是，它们身上有一种自然的灵性在闪动，即使只是每天出门散步，也饱含着狗妈妈内心的喜悦。这种喜悦每天都化成一种发自内心的幸福，挂在脸上。

因此，在我们的漫漫人生中，只要怀着一颗平常心去细细品味，即使是平庸的日子、平常的生活、平凡的人生，也能品味出隽永醇厚的滋味来！

故事 33

一句价值百万英镑的忠告

英国人弗兰西斯·霍勒，是沙特王室聘请的一名外籍家庭教师。她的主要任务是陪七位小公主阅读英文童话，每年的收入 100 万英镑，是英国首相布莱尔的 40 倍。不过，她被解聘了。

在弗兰西斯·霍勒重返剑桥读书的那天，有 200 多名记者云集在圣凯瑟琳学院门口打探内幕。由于有协议在先，她回避了所有的提问。

一位陪同小公主阅读童话的人到底出了什么差错？人们有很多猜测。

法国的一家报纸说，是因为弗兰西斯和某位王子产生了恋情，在王宫里上演了灰姑娘的故事。德国的一家报纸说，弗兰西斯是被美国安全局买通的一名特工，在传递情报时露了马脚。阿拉伯的一家报纸说，弗兰西斯小姐合同期满，她的离开属正常解聘……总之，众说纷纭，谁也不知道哪一条是弗兰西斯被解聘的真正原因。

2001 年圣诞节，一封来自沙特公主的电子邮件透露了实情。这封邮件是向弗兰西斯问候圣诞快乐的。在邮件中，小公主回忆了和弗兰西斯共同度过的快乐时光。她说，你还记得我们一起读《安徒生童话》时问你的问题吗？我们傻乎乎的，真是愚蠢至极，以致于造成今天的离别。

原来，公主们在读童话时，问了弗兰西斯这么一个问题：“谁的妻子最快乐？”

当时弗兰西斯反问了她们：“你们认为呢？”

七位小公主齐声回答：“农夫的妻子最快乐！”

“难道国王的妻子、百万富翁的妻子、政治家的妻子、诗人的妻子不快乐吗?”弗兰西斯问。

“不快乐。”七个小公主回答。

“为什么?”弗兰西斯接着问。

七个小公主答不上来，她们只知道，在童话故事里，没有一个国王的妻子是快乐的，也没有一个百万富翁的妻子是快乐的。后来，弗兰西斯给她们讲了其中的原因，并告诉她们：在这个世界上，只有真正快乐的男人，才能带给女人真正的快乐。谁知这句话被人告密，第二天她就接到了解除聘约的通知。她因为那句话，失去了一百万英镑。

2001 年末，美国《纽约时报》财经版评选“十大金句”，弗兰西斯的这句话破天荒地入选了。

酷评

你快乐，所以我快乐

其实，故事中这句话的价值远远超过

百万英镑，这句话的意义不是钱能衡量的。世界上的事，有的时候怕一语道破。这个故事，就是这样一个典型。当一个人能这样思考问题时，他的德行也会接近这样的思考。

为什么百万富翁不快乐，国王不快乐？或者说，为什么一个人当了百万富翁或国王，他就不快乐了呢？这个问题难道不值得我们深思？

的确，成功说明了一切，成功可以带来快乐。不过，成功并不一定非要成为百万富翁不可。如果不能做财富上的富翁，不如做精神上的富翁。其实，快乐是自己给的，而不在于别人。快乐可以自己找，在这方面，西方人应该向中国人学习，因为中国文化里提倡“自得其乐”。

故事34

地狱与极乐

有一地方首长去拜访白隐禅师，请示佛门常说的地狱与极乐是真实的，还是一种理想？并希望禅师能带他参观真实的地狱与极乐。

白隐禅师立刻将脑中所能想象得到最恶毒的话辱骂他，这使得这位长官十分惊讶。

刚开始时出于礼貌，长官没有回嘴。最后，长官实在忍不住了，就随手拿起一根木棍，并大喝："你算什么禅师？简直是个狂妄无礼的家伙！"说着就往禅师身上打去。

白隐跑到大殿木柱后，对着面露凶相，从后追赶的长官说："你不是要我带你参观地狱吗？你看！这就是地狱！"

恢复自我的长官，察觉到自己的失态，急忙跪地道歉，请禅师原谅他的鲁莽。

白隐禅师："你看，这就是极乐！"

酷评

一念天堂，一念地狱

世界上没有绝对的天堂，也没有绝对的地狱，天堂与地狱是可以相互转换的。很多时候，天堂与地狱往往只有一步之遥。在长官拿起棍子的时候，他就身在地狱；当他放下棍子的时候，也就来到了天堂，因为他明白了什么叫极乐。

可见，天堂与地狱可以在我们的一念之间。当我们内心被喜悦充满的时候，这一刻就是天堂；当我们内心被烦恼占据的时候，这一刻就是地狱。

人间就是天堂，人间就是地狱。有些人

过得无牵无挂，潇洒自在，就如同身处天堂；也有的人贫病交加，精神崩溃，虽在人间，就如同身处地狱。

如果我们每个人都能充满爱心，那么人间就是天堂；反之，如果我们每个人都充满痛苦，充满怨恨，那么人间就是地狱。心态和行为方式的不同就会导致不同的结果——住天堂还是住地狱。

天堂与地狱，你打算住在哪里？

故事 35

口袋中的石头

一天晚上，一群游牧部落的信徒正准备安营扎寨休息的时候，忽然看见一束耀眼的光芒。他们预感到佛祖就要出现了。因此，他们恭敬地等待着佛祖的到来。

佛祖果然出现了，他对这些虔诚的人说："明天你们启程以后，沿路要多捡一些石头，把它们放进你们的口袋里。到了晚上，你们会非常快乐，但同时也会非常懊恼。"说完，佛祖就消失了。

信徒们都很失望，原本以为佛祖会带来

无尽的财富或者健康，但没有想到佛祖却吩咐他们去做这么一件事。

他们虽然有些不满，但还是照做了，随意地捡了些小石头放进口袋里。

就这样他们走了一天。当夜幕降临的时候，他们开始安营扎寨，有人意外地发现口袋里的石头变成了黄金。他们高兴极了，同时也懊悔极了，后悔没有捡更多的石头。

酷评

痛并快乐着的人生

悲喜交加、祸福随行，这就是人生。

我们在很多时候也会像这些信徒一样——快乐的同时又感到懊恼和遗憾。

一位法国化学家曾经说过："我的一生，明白了不少事，可惜就是一事无成。"这当然是谦虚的话，但话里的意思是自己原本可以做得更好。

人生总是痛苦与快乐、悔恨与希望并存的，有首歌是这样唱的："生活是一团麻，那

也是麻绳拧成的花；生活是一根线，也有那解不开的小疙瘩。生活是一条路，怎能没有坑坑洼洼；生活是一杯酒，饱含着人间的酸甜苦辣；生活是七彩缎，那也是一幅难描的画；生活是一首歌，吟唱着人生的悲喜交加。”

李叔同，也就是弘一法师，在他这一生写下的最后四个字就是——悲欣交集。这四个字，对于我们审视自己的一生，是很有帮助的。这样，回顾自己从前的时候，你或许就不会为了一些过去的挫折或者缺陷耿耿于怀，抱憾终身了。

故事 36

幸福人的衬衣

哈里发得了重病，他奄奄一息地躺在华丽舒适的丝绸床垫上。医生们对此束手无策。最后，人们请来了全国著名的神医。神医提出只有一个办法才能治愈哈里发，那就是找到全国最幸福的人，把他的衬衣放在患者的床头。

侍卫们被派出寻找幸福的人。他们分头行动，找遍了每个城市和村庄的角落。当被问及是否幸福时答案总是否定的。没有人满意自己的现状。每个人都认为除了忧愁之外，他们没有一丝快乐。人们都觉得每天都有不同的烦恼困扰着他们。

侍卫们几近绝望，到哪儿去找幸福的人呢？当他们就快放弃希望时突然听见远处传来悠扬的歌声，他们遇到了一位年轻的牧羊

人。他一边放牧一边欢声歌唱，脸上洋溢着幸福的荣光。

侍卫们赶忙迎了上去：“你感到幸福吗？”

“是的，我认为没人比我更快乐幸福了。每天清晨我看到太阳升起，听见小鸟歌唱，觉得一切都是那么美好！”

“那么，把你的衬衣送一件给我们好吗？”侍卫请求道。

牧羊人却答道：“可是我连一件衬衣都没有。”

侍卫们很失望，回宫后他们向哈里发报告了这一情况。哈里发得知后不禁陷入沉思，最快乐的人却连一件衬衣都没有。他遣走了周围所有的人，苦思冥想了许久。最后，哈里发决定将他所有的财产都捐给人民。

不久以后，他重新恢复了健康。

酷评

幸福是一种感觉

幸福是什么？是六月里孩童的微笑，是

家人手中递来的一杯温水；是辛勤工作后小有收获的喜悦，也是朋友关切的问候，还是执子之手与子偕老的漫漫人生。幸福就像白开水，尝起来平淡无味，却十分重要。休闲时，也许你更愿意选择咖啡、红茶，然而生活中你可以没有饮料，却永远少不了白开水。

有人说，表象的华贵并不重要。因为“境由心生”，一念之间可以一花一世界，一沙一天堂。的确，外在的形式，并不能成为你增加幸福感的筹码。很多时候，幸福是一种内心的感觉。你若是个内心春光明媚的人，那么即便你是个连衬衫都买不起的牧羊人，你的生活照样一片灿烂；你若是个不懂得知足感恩的人，就算富贵荣华如国王，也仍然会郁郁寡欢，不知美好为何物。

如此，我们日日为生活苦苦地挣扎又是为了哪般？行色匆匆的过往人群，请适当驻足停留一下，看一看路上的风景吧，不远处一朵幸福之花正在你心灵的某个角落。

故事 37

日日是好日

有一天，云门文偃禅师和弟子们外出散步。禅师随口问他的弟子们：“我不问你十五月圆之前如何，我只问你十五以后有何体会?”

弟子们的答案五花八门，各有千秋，不乏惊人之语。而云门文偃禅师的回答却很质朴：

“春有百花秋有月，夏有凉风冬有雪。若无闲事挂心头，便是人间好时节。”

人生如四季

试想，如果季节真的永远停留在春天，女孩不能穿上漂亮的泳衣，男孩无法打雪仗堆雪人，那我们一定又会感到遗憾，抱怨生活失去了应有的意义，更加无法体会到“夏天吃火锅，冬天吃冰淇淋”的那份心情。

事实上，造物主对我们很不薄，他给了我们缤纷多彩的四季，让我们看到四季不停变换的景色，让我们的生活不沉闷、不孤单。

四季的更替是人力所无法改变的，不以我们的意志所转移，所以究竟是该埋怨还是欣赏呢？是的，我们唯一可做的就是要学会用心去欣赏它。

人生如四季，各个阶段有各个阶段的风景，不可能一直是温暖的春天，也会有酷热的夏天、干燥的秋天和寒冷的冬天。

生活也是一样。生活中，我们一定会有各种各样的“闲愁”：工作不顺利、孩子不听话、物价又上涨，等等。如果把这些闲愁一直挂在心头，那么在你头顶上方的就永远只会是一片乌云。生活永远是跌宕起伏的，没有永远的忧愁。缘起缘散，放任自适，给自己的心灵放假，我们就会体会到随缘自适的快乐。

故事 38

何仙姑卖药

传说在杭州西湖边上曾经有一间名号为“济世堂”的药铺，经营南北川广生熟药材。该店因为药品齐全而闻名江浙，每天前来买药的人络绎不绝。这一天，天气晴朗，清风徐徐。门口等候买药的人群中突然出现了一位面色红润、神态飘逸的道士。

道士径直向店主打揖问道：“贫道要买几味药，不知宝号可有？”

店主回答道：“敝小店是祖传老字号药铺，三千药料一应俱全。不知道长需要哪几味药？欲配什么方？”

道士嗤声笑道：“店主莫夸海口，我跑遍这杭州城内大小药铺，都未能配齐。你这么一间小小的药店，就能一应俱全？”

店主听道士出言不逊，心中自有几分不悦，但仍和颜悦色地介绍道：“道长究竟想配什么药，但说无妨。”

道士答道：“我要配一副家和散，又要一剂顺气汤。再要一盒消毒丸，还要长生不老丹。”

一听这些药名，众人即刻傻了眼。店主应付不了道士，便附耳伙计，让他快上楼去把小姐叫来。原来店主姓何，名泰。他的女儿何姑娘 13 岁上山采药时曾经偶遇仙人，吃过仙人相赠的半个桃子，此后再不感到饥饿，且变得更加聪明伶俐，通晓世事。店中遇到什么难解之事，只要找她来，都能迎刃而解。

何姑娘来至店堂前，彬彬有礼地作一揖，问道：“仙长来小店，需买什么药？小女子这里伺候了。”

道士又重复了一遍，待道士把话说完，

何姑娘眉毛一扬，竟爽朗地答道：“有！有！仙长所言药汤丸散，全都齐备。”

一句话又把众人听得愣住，何泰心知店中并无此药，正担心女儿信口胡说要下不来台，却见何姑娘又开了口：“父慈子孝乃家和散，兄友弟恭是顺气汤。妯娌和睦乃消毒丸，少欲无烦是不老丹。”

几句话说得众人立刻恍然大悟，连连称是。这个说：“姑娘这话一点不假。我的老母亲，就是让我那忤逆不孝的兄弟气病的。他若能孝顺父母，她老人家的病早就好了。”那个说：“俺同胞亲兄弟，本来相亲相爱。自从娶了妻室，两个妇人家整日饶舌弄嘴，争家财要田产，弄得俺兄弟之间动了拳脚，伤了兄弟情分。”一老者颇有感慨地说：“‘人为财死，鸟为食亡。’少欲多施，不贪非分之财；少烦多眠，方能长生不老。何姑娘说得在理呀！”大家明白了这些道理，都感到回去后只有做到父慈子孝、兄友弟恭、妯娌和睦、夫妻相敬，方能心情愉快，免除许多病痛。霎时间，来买药的人竟走了许多。

道士见此情景，频频点头。笑吟吟地夸赞道："小姑娘，你可真会卖药啊！你这药铺不愧为'济世堂'这一称号！"说毕，升空而去。其实，这位道士正是吕洞宾仙师。他这次变成道士来买药，是欲点化何姑娘。此后何姑娘更加静心修炼，终于得道，人称"何仙姑"。

酷评

寻觅"幸福丹"

世上本没有家和散、顺气汤，也没有消毒丸，更不要提长生不老丹了。但是如果能正确地处理人际关系，且根据情况进行适当的心理调节，那么一个人就能消除许多不必要的病痛，拥有健康长寿。整个社会要达到和谐，最主要的还是得依靠人与人之间良好的关系。

请思考一个问题：我们在这个世界上追求的根本是什么？也许不同的人会找到不同

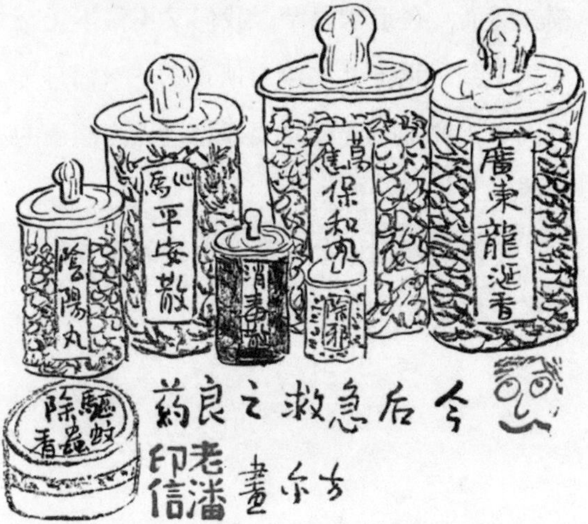

的答案：贫穷的人渴望财富，富裕的人渴望闲适，久病的人渴望健康，长饥的人渴望饱食。但是，把这些看似纷繁复杂的答案归整一下，我们不难发现，其实答案的本质只有一个：幸福。

是的，我们每个人活在这个世上的每一天都在追求一种“幸福感”。这种追求是从不间断且永无止境的，无论你承认与否，无论你意识到与否。不会有人追求不幸，即便是受虐狂，在他看来，遭受虐待就是最大的幸福。然而，在追求之余，我们又不得不无奈地认识到，世上从来没有所谓的“幸福丹”，得到幸福的唯一途径是要靠自己点点滴滴的营造。

个人的幸福如此，整个社会的幸福也是一样。和谐是治理社会的“药”。

故事 39

把卖鱼当作一种艺术

美国西雅图有一个很特殊的鱼市场。人们在那里买水产品，简直是一种享受。

这个鱼市场虽然也跟其他鱼市场一样，有股浓浓的鱼腥味儿，但处处飘荡着鱼贩们欢快的笑声。这是别的鱼市场所没有的。

鱼贩们面带笑容，密切合作，让冰冻的鱼像棒球一样在空中飞来飞去，大家互相唱和：

“啊，五条鳕鱼飞到明尼苏达去了！”

“八只螃蟹飞到堪萨斯了。”

鱼贩们的欢快情绪，感染了来此购物的顾客。大家的心情也都变得欢快起来，像沐浴着温暖明亮的阳光。

是什么使得这个鱼市场与众不同的呢？

几年前，这个鱼市场也同其他鱼市场一样，是个没有生气的地方。鱼贩们在充满鱼腥味的环境中吃力地劳作，整天抱怨。后来，大家认为，与其每天抱怨沉重的工作，不如改变工作的性质。

于是，他们不再抱怨生活，而是把卖鱼当作一种艺术。

再后来，一个创意接着一个创意，一串笑声接着一串笑声，生活变得和谐了。

酷评

生活需要快乐

智者，是能够在黄连树下弹琴、在苦难的生活中创造乐趣的人。

智者，不一定都是释迦牟尼那样的伟大人物。我们虽不是智者，但普通人也可以达到智者这种境界。故事中的鱼贩们就颇识此中三昧，堪称生活的智者。

怎样把沉闷的日子变成快乐的日子？重要的是心态和观念的转变。意识到这一点，并将其付诸实践，就能找到快乐。

你可以每天说一些使他人感到舒服的话，做一些使他人感到舒心的事，你可以利用电话、明信片，或一些简单的善意动作达到此

目的。例如送给他人一本励志的书，就是为他带来一些可使他的生命充满奇迹的东西。日行一善，可永远保持无忧无虑的心情。

对于自己，那就更简单了。如果你住的地方离学校不算太远，那就不要坐车，改成步行。如果还有兴致，那就干脆有意延长线路，沿着江边走，沿着公园走，适当的时候进行慢跑。这样，把上班之路变成锻炼之旅，身心愉悦，体质增强，其乐无穷。

苦，也是一辈子；乐，也是一辈子。为啥不乐呢？你的心态是你——而且只有你——唯一能完全掌握的东西，练习控制你的心态，就可以创造快乐，使郁闷乃至沉重的生活改变色彩，充满生气。

生活，需要创造；生活，需要快乐。

故事 40

安贫有道

有个穷人抱怨自己住房太挤，想请牧师帮忙解决一下。牧师讲了一套随遇而安、安贫乐道的道理，但穷人一句话就把他噎住了：“这些道理能解决我住房的拥挤吗？”

牧师想了想，问他家里有没有家禽家畜。穷人回答说鸡鸭牛羊样样都有。

“那就把它们都养在你的房间里吧。”

“可是，我们的房子本来就很挤……”

可牧师根本不理睬他。

穷人猜不透牧师是什么心思，就照办了。

但一个星期下来，他实在受不了了，请求牧师让他把家禽家畜仍然养在室外。牧师同意了。

过了几天，牧师问他："怎么样，还挤吗？"

穷人高兴地说："现在宽敞多了，谢谢您给我们解决了难题。"

酷评

幸福只是一种感觉

房子依然是那个房子，但人的感觉却截然相反。

人是一种不容易满足的动物，他们常常喜欢抱怨，但在更大的苦痛面前，他们又常常是很容易知足的，比如故事里的穷人。

"吃饭一个胃，睡觉两平方"，人的基本需求真的不多。但是，为什么有那么多已经很富有的人仍然闷闷不乐？因为他们不知道什么是"吃苦"，他们没有"苦"的体验。对于一个只有"甜"的味觉体验的人，永远没有"很甜"的概念，直到有一天，他的味蕾接触到了苦味。

故事中的牧师对人性的了解可谓深刻，他知道，安慰一个倒霉者的最好办法就是举出一个更倒霉的例子，这就是实实在在的人性！

有句话这样说：“人家骑马我骑驴，后面还有光脚汉。”

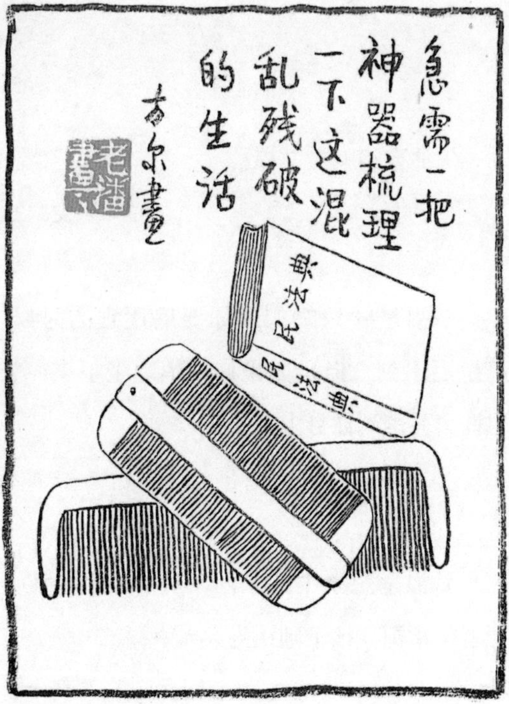

名人名言

生活充实就是幸福。

——爱默生

幸福是一只蝴蝶，你要追逐它的时候，总是追不到；但是如果你悄悄地坐下来，它也许会飞落到你身上。

——霍桑

幸福是想象中的东西。从前，生者认为死者是幸福，孩子则认为大人幸福。

——托马斯·曼

幸福是太多和太少之间的一站。

——波洛克

人在幸福之中不可忘记躲在身后的灾难或痛苦。

——乔叟

人类一切努力的目的都在于获得幸福。

——欧文

能把自己生命的终点和起点连结起来的人，是最幸福的人。

——歌德

人类所以要生存在世界上，并非为了要当富翁，而是为了获得幸福。

——司汤达

没有什么比回忆幸福更令人痛苦的了。

——安德烈·纪德

极端幸福和极端不幸的人们，都会滋生一种冷酷无情的倾向。

——孟德斯鸠

最幸福的人只是受苦最少而已，最痛苦的人只是享乐最少而已。

——卢梭

生活最高的奖赏、人生最大的幸运，就是有一种与生俱来的强烈爱好，使你可以在追求中赢得事业和幸福。

——爱默生

幸福的人就是善于享受自然恩惠的人；不幸的人就是没有能力利用自然的恩惠的人。

——霍尔巴赫

一个人永远不像他所想象到那样不幸，也不会像他所希望的那样幸福。

——拉罗什富科

只有当一个人的生命在辉煌中结束时，我们才敢说他是幸福的。

——埃斯库罗斯

愚昧从来没有给人带来幸福；幸福的根源在于知识。

——左拉

人生至高的幸福，便是感到自己有人爱；有人为你这个样子而爱你，更进一步说，有人不问你是什么样子而仍旧一心爱你。

——雨果

对于大多数人来说，他们认定自己有多幸福，就有多幸福。

——林肯

幸福的秘诀是：让你的兴趣尽量地扩大，让你对人对物的反应尽量地倾向于友善。

——罗素

如果有一天，我能够对我们的公共利益有所贡献，我就会认为，自己是世界上最幸福的人了。

——果戈理

一个农夫和一个哲学家也许会同样满足，但绝不可能同样幸福。幸福是由多种愉快的自我意识组合而成的。

——塞缪尔·约翰逊

描绘幸福就是削弱幸福。

——司汤达

人类从来只有一种斗争，就是追求幸福的斗争，它存在于一切宗教与一切政府的深处。

——左拉

如果自己的愉悦完全掌握在别人手里，几乎没有人会感到幸福。

——沃维纳格

幸福从来不像稳定那样受人欢迎。

——格雷厄姆·格林

幸福犹如宗教，是一种神秘之物。幸福从来不需要使之合理的阐述和说明。

——切斯特顿

与其说人类的幸福来自偶尔发生的鸿运，不如说来自每天都有的小实惠。

——富兰克林

要在自身找到幸福是不容易的，要在别的地方找到幸福是不可能的。

——利普里厄

人是自己幸福的设计者。

——梭罗

醉心于某种爱好的人是幸福的。

——萧伯纳

要记着，幸福并不是依存于你是什么人或拥有什么，它只取决于你想的是什么。

——卡耐基

我们得到的一切幸福都是劳动、辛苦、自我克制和学习的成果。

——萨姆纳

一无所求的人是幸福的，因为他永远不会失望。

——蒲伯

生活的妙趣就在于生活本身。

——华兹华斯

我们把乐趣看过幸福生活的全部。乐趣是人们首要的、不可缺少的东西。

——伊壁鸠鲁

幸福在于趣味，而不在于事物。

——拉罗什富科

即使到了最文明的时代，读书仍将是最大的乐趣。

——爱默生

一个好好地过生活的人，他的时间该分作三部分：劳动、享乐、休息或消遣。

——车尔尼雪夫斯基

悠闲是哲学之母。

——托马斯·霍布斯

后记

成为"知道"的人

人分四种：不知道自己不知道，知道自己不知道，知道自己知道，不知道自己知道。其实，这也是个人要经历的四个阶段。

如何成为"知道"的人？

我担任大学老师40年，天天"传道授业解惑"，教过的学生数以千计。在与几代学生朝夕相处中，充分了解年轻人的所思所想，常常讲述一些经典故事来引导学生更新观念，也曾出版过十多本故事书，并欣喜地看到，我们的故事被一些知名企业用于内部培训。

通过对毕业生的追踪调查，发现在社会上成长得最好的那部分毕业生，大多不是学校里面传统意义上的好学生，由此引发深入思考。究其原因，不仅仅是智商与情商问题，更在于深层次的认知与观念水平。

为引领当今的年轻读者在最短时间里迅速更新观念，走上成功道路，开创全新人生，我们精选了古今中外的经典故事，从故事的文化背景看，有东方的与西方的故事；从故事的内容看，有禅宗的、道家的，以及幽默故事等。与一般故事书不同，每则故事后面都有详细解读，引发思考。

如今的这套“人生360度·一分钟经典故事”，包括《不知道自己不知道》《有一种人生叫等待》《没有上锁的门》《只有一根柱子》《画好自己的底线》《宽容是件奢侈品》6本。除了故事，除了酷评，我们还汇集了相关的名人名言，配以读者喜闻乐见的漫画。我们希望通过这些内容，揭示人生智慧，传播现代观念，让每一位读者成为“知道”的人。我们坚信：更新观念，是走向成功的必由之路。

在此，感谢参与丛书编写的陈鸣、戴旻理、金怡、金婕、陆雅茹、徐蕾蕾、马骏骥等合作者，尤其要感谢漫画家、篆刻家潘方尔先生与上海辞书出版社文化读物编辑室主任朱志凌先生。

康桥写于 2024 年开学季

图书在版编目(CIP)数据

只有一根柱子 / 康桥编著；潘方尔绘. —上海：上海辞书出版社，2024. —(人生 360 度：一分钟经典故事). —ISBN 978-7-5326-6267-8

Ⅰ.I14

中国国家版本馆 CIP 数据核字第 2024UG1515 号

人生 360 度 · 一分钟经典故事

只有一根柱子

康　桥 编著　潘方尔 绘

策划统筹 朱志凌　**书名篆刻** 潘方尔
责任编辑 朱志凌　**图片编辑** 洪　文
文字编辑 李婉青　**整体设计** 零贰壹肆设计工作室
技术编辑 楼微雯

出版发行 上海世纪出版集团
上海辞书出版社®（www.cishu.com.cn）
地　址 上海市闵行区号景路 159 弄 B 座(邮政编码:201101)
印　刷 浙江经纬印业股份有限公司
开　本 787 毫米×1092 毫米　1/32
印　张 7.5
字　数 93 000
版　次 2024 年 9 月第 1 版　2024 年 9 月第 1 次印刷
书　号 ISBN 978-7-5326-6267-8/I·592
定　价 39.80 元

本书如有质量问题，请与承印厂联系。电话：0576-83170033